DALAI LAMA

ILUMINANDO O CAMINHO

NOSSA BUSCA PELA FELICIDADE

EDITORA FUNDAMENTO

Editor e edição de texto: Editora Fundamento
Versão brasileira: Edite Siegert Sciulli, Eliana Fernandes Oliveira, Ana Marques
Capa e editoração eletrônica: Commcepta Design
Fotolito e impressão: Sociedade Vicente Pallotti

Produzido originalmente por Lothian Books

Primeira publicação em 2003

Dados Internacionais de Catalogação na Publicação (CIP)
(Câmara Brasileira do Livro, SP, Brasil)

Bstam- `dzin-rgya-mtsho, Dalai Lama XIV
Iluminando o caminho : O Dalai Lama dá lições de sabedoria e compaixão / versão brasileira : Edite Siegert Sciulli. - São Paulo - SP : Editora Fundamento Educacional, 2005.

Título original : Lighting the path : the Dalai Lama teaches on wisdom and compassion.
Bibliografia.

1. Budismo - Doutrinas 2. Compaixão - Aspectos religiosos - Budismo 3. Dalai Lama - Ensinamentos 4. Felicidade - Aspectos religiosos - Budismo 5. Sabedoria - Aspectos Religiosos - Budismo 6. Vida religiosa - Budismo I. Título. II. Título: O Dalai Lama dá lições de sabedoria e compaixão.

05-0353 CDD-294.3444

Índices para catálogo sistemático:
1. Budismo : Vida e prática religiosa 294.3444

Fundação Biblioteca Nacional

Depósito legal na Biblioteca Nacional, conforme Decreto n.º 1.825, de dezembro de 1907.

Impresso no Brasil

Telefone: (41) 3015 9700
E-mail: info@editorafundamento.com.br
Site: www.editorafundamento.com.br

SUMÁRIO

PREFÁCIO

Iluminando o caminho: o Dalai Lama dá lições de sabedoria e compaixão abrange uma seleção de ensinamentos e palestras realizadas por Sua Santidade, o Dalai Lama, durante sua visita à Austrália e Nova Zelândia, em maio de 2002. O livro contém conversas informais com o público em geral, além de ensinamentos mais formais sobre o pensamento e a prática budista.

Em palestras públicas, os temas centrais incluem formas de aumentar a bondade para com as pessoas, gerar uma atitude positiva diante da vida e meios de transformar situações adversas em condições favoráveis para o desenvolvimento espiritual e uma vida mais feliz. Há também um debate envolvente entre Sua Santidade e o público jovem. Eventos especialmente dirigidos para esse público possibilitaram jovens estudantes e jovens adultos a falarem diretamente com Sua Santidade e fazer-lhe perguntas sobre uma ampla série de questões, de paz interior a mudanças sociais.

Como parte essencial deste livro, há três ensinamentos budistas mais formais. O segundo capítulo, "Os princípios do budismo", oferece a estrutura para se compreender o primeiro e fundamental ensinamento de Buddha Shakyamuni sobre as "Quatro nobres verdades" e em que todos os demais ensinamentos estão baseados. O capítulo seguinte, "As oito estrofes para o treinamento da mente", gira em torno dos versos de mesmo nome, de Geshe Langri Thangpa, que fazem parte de um gênero de escritos espirituais tibetanos conhecidos como lojong (literalmente, "treinando a mente"). Sua Santidade freqüentemente se refere a esse breve trabalho como uma de suas principais fontes de inspiração para a prática da compaixão.

O ensinamento mais extenso e, talvez, mais profundo da obra é o comentário de Sua Santidade sobre a **Lâmpada sobre o caminho para atingir a iluminação**, realizado nos três dias que passou em Melbourne. O notável meditador e professor indiano Atisha Dipamkara estabeleceu-se no Tibet no final da vida e deu uma importante contribuição à criação e ao florescimento do pensamento e da prática budista. Essa obra, em especial, tornou-se um dos mais importantes textos para quem pratica o budismo com seriedade e teve a extrema felicidade de ser interpretada de forma lúcida e inspiradora por Sua Santidade, o Dalai Lama. Nesse contexto, gostaríamos de manifestar nossa gratidão a Geshe Thupten Jinpa pela brilhante tradução para o inglês dos ensinamentos de Sua Santidade.

O Departamento Tibetano de Informações em Canberra teve o grande privilégio de coordenar a visita memorável de Sua Santidade, o Dalai Lama, aos antípodas, que foi organizada em conjunto pela Dalai Lama in Australia Limited e Dalai Lama Charitable Trust New Zealand. Essas duas organizações sem fins lucrativos foram criadas especialmente para gerenciar as visitas de Sua Santidade, o Dalai Lama, a essa parte do mundo, e ficamos profundamente impressionados com a sinceridade e dedicação de seus membros e dos milhares de voluntários que os auxiliaram. Gostaríamos de apresentar nossa gratidão a todos eles. Também gostaríamos de agradecer Geshe Sonam Thargye, monge tibetano que reside em Geelong, Vitória, responsável pela abertura das visitas de Sua Santidade à Austrália, na ocasião.

Os recintos em que Sua Santidade apresentou seus ensinamentos e palestras públicas encontravam-se sempre lotados e, desde sua visita, muitos integrantes do público manifestaram interesse em ter acesso aos ensinamentos e palestras por escrito. Assim sendo, estamos muito felizes por testemunhar a publicação deste livro e agradecemos todos os envolvidos em sua compilação e publicação. Não temos dúvidas de que será de grande auxílio para muitas pessoas.

Chope Paljor Tsering
Representante de Sua Santidade, o Dalai Lama,
na Austrália e Nova Zelândia, 1998-2003

1 NOSSA BUSCA PELA FELICIDADE

TODOS QUEREM LEVAR UMA VIDA FELIZ E TRANQÜILA E VIVER num mundo feliz. Acredito que esse seja nosso objetivo e direito principal e algo que realmente valha o esforço para ser atingido em termos mundiais. Não precisamos falar no assunto em termos puramente filosóficos. Quer tenhamos ou não uma consciência clara do que seja o "eu", todos sabemos que experimentamos prazer e dor, que queremos a felicidade e não o sofrimento.

O desejo básico por felicidade, paz e prazer, e o desejo igualmente básico de superar a dor e o sofrimento existem naturalmente em todos nós. Nasci no Tibet, que algumas pessoas consideram um país misterioso, que chamam de "Shangri-lá". Algumas pessoas chegam a me descrever como o "Buda vivo" ou um "rei-deus". Isso não passa de um contra-senso. Na verdade, todos os seres humanos são iguais, mental, emocional e fisicamente; seus sentimentos e emoções são os mesmos que os meus.

Como um simples monge budista, praticante dos ensinamentos de Buda, e como ser humano, estou seriamente preocupado com nossos problemas humanos, pois todas as pessoas têm responsabilidade e devem cuidar de nosso planeta e seus habitantes. Muitos dos problemas que enfrentamos atualmente são essencialmente criados pelo homem. Embora nosso mundo tenha mudado muito, acredito que nos acostumamos a lidar com os problemas de uma maneira superada, o que pode criar mais problemas e conflitos. Por exemplo, é improvável que eventos ocorridos nos séculos 18 e 19 exercessem um efeito significativo em continentes distantes, porém, devido a fatores como tecnologia, crescimento habitacional e globalização, o mundo atual é grandemente interdependente. Assim, em minha opinião, transformar os interesses de nosso próprio país em prioridade máxima à custa dos outros pode gerar conseqüências graves. Em vez disso, devemos pensar na humanidade como um todo e ter um senso de preocupação num nível global. Isso é o que eu chamo de ter um senso de "responsabilidade universal".

Não há nada de errado na contradição em si, o movimento no mundo da matéria é originado por forças e energias contrárias.

Na vida, há problemas que simplesmente não podemos evitar e, nesses casos, nossa atitude mental é muito importante. Por exemplo, possuímos um corpo e, conseqüentemente, devemos enfrentar os inevitáveis problemas associados à doença, ao envelhecimento e à morte; ainda não se descobriu um método pelo qual possamos superar esses fatores. Assim sendo, por vivermos numa sociedade composta de seres humanos, certamente iremos vivenciar algumas desavenças e dificuldades, de tempos em tempos. É possível que, mesmo dentro da própria família (ou de nós mesmos), existam idéias e pontos de vista divergentes que podem originar conflitos. Não há nada de errado na contradição em si, o movimento no mundo da matéria é originado por forças e energias contrárias. Da mesma forma, conflitos na área das idéias e opiniões podem originar debates e descobertas novas e significativas; na verdade, a contradição faz parte da natureza. O importante é como nos relacionamos com as contradições e se sabemos utilizá-las positivamente. É por esse motivo que nossa atitude é essencial: se pudermos sustentar a paz em nossa própria mente, até mesmo forças ou acontecimentos aparentemente hostis não nos tirarão o equilíbrio. Por outro lado, se nossa mente estiver muito agitada e perturbada, não conseguiremos vivenciar paz e felicidade verdadeiras, mesmo que estejamos cercados das melhores condições materiais e de nossos amigos mais íntimos.

O importante é como nos relacionamos com as contradições e se sabemos utilizá-las positivamente.

Como mencionei anteriormente, acho que nosso propósito e direito básico é viver uma vida feliz – e não apenas nós, seres humanos, mas também todas as espécies de animais, aves e insetos. Um fato notável nos seres humanos é a inteligência. Existem inúmeras e diversas formas de vida neste planeta e, principalmente, muitas formas de vida dotadas de intelecto, mas acho que somente os seres humanos realmente mudam o mundo por meio de descobertas científicas e outros novos avanços.

Atualmente, grande parte da humanidade usufrui um elevado grau de facilidades materiais e, com a ajuda da ciência e da tecnologia, novos progressos irão ocorrer. Houve momentos em que pareceu possível que recursos materiais e progresso fossem capazes de superar todas as dificuldades do cotidiano e fariam desaparecer todo o sofrimento, possibilitando à humanidade alcançar algum tipo de felicidade permanente. À medida que o tempo passa, testemunhamos muitas pessoas aproveitando o que há de melhor em termos de conforto material, no entanto somos incapazes de afirmar que elas não enfrentam problemas ou sofrimentos. Conheci algumas pessoas milionárias ou bilionárias que, quando falam sobre sua vida, deixam claro que têm muitas preocupações e inquietação mental. Eu as aconselho a tentar praticar o contentamento e, então, pensar mais em outras pessoas e analisar a própria vida sob um ponto de vista mais amplo. Às vezes, esse conselho as ajuda e elas encontram uma nova forma de encarar os próprios problemas. Isso mostra que o conforto material, por si só, não pode proporcionar felicidade ou sucesso verdadeiros: grande parte depende de nossa atitude.

Não estou afirmando que recursos materiais não sejam importantes, pois é evidente que são. Como monge, estou proibido de usar jóias, mas tenho um relógio. É claro que não se trata apenas de um enfeite, ele também tem um objetivo prático e, embora não seja muito caro, também não é dos mais baratos. As comodidades materiais são benéficas e práticas e não representam problema. O problema surge quando elas criam sentimentos de ganância, competição e algum tipo de insatisfação duradoura, que nos faz querer cada vez mais.

Embora os recursos materiais nos proporcionem conforto físico, muitos de nossos sentimentos de prazer e dor são, na verdade, criados pela própria mente. Quando examinamos o mundo da experiência, enxergamos duas amplas categorias: uma delas se relaciona às experiências de felicidade e sofrimento que se encontram no nível de nossos sentidos; a outra se relaciona principalmente com nossos pensamentos e emoções. No caso do sofrimento relacionado a experiências sensoriais, a solução vem da mesma fonte – por exemplo, curamos doenças físicas com remédios. Mas, num nível mental, sofrimentos como preocupações e suspeitas acabam por provocar depressão; se a depressão se tornar muito grave, também passa a ficar intimamente ligada ao corpo físico. Mas, basicamente, muitos desses estados mentais são criados pela própria mente, de modo que recursos materiais não são capazes de promover mudanças. Dinheiro, poder, fama – nada que faça parte do mundo material pode eliminar o sofrimento que ocorre puramente no nível mental. Para que possamos superar esse tipo de sofrimento, precisamos empregar um método diferente: os problemas que enfrentamos na vida como resultado de nossos pensamentos e emoções devem ser resolvidos com o uso da mesma faculdade mental que cria esses pensamentos e emoções. Talvez os seres humanos tenham mais problemas mentais por causa dessa maravilhosa inteligência. Os animais, quando bem alimentados e instalados em um ambiente onde não haja uma ameaça imediata, parecem ter poucas preocupações. Em nosso caso, contudo, mesmo que em determinado momento esteja tudo bem, nossa mente cria perturbações que envolvem um número excessivo de expectativas, dúvidas ou preocupações em relação ao futuro distante e às gerações que virão. Às vezes, nossa imaginação é fértil demais, portanto, de um lado, a inteligência humana é algo precioso, mas, de outro, é a verdadeira fonte de muitos de nossos problemas.

Para superar nossos sofrimentos mentais, precisamos empregar a mesma faculdade mental que cria os pensamentos e as emoções e resolver os problemas que eles causam; em outras palavras, precisamos usar nossa inteligência. Não há crença, fé ou oração que possa fazê-lo. No início, realizamos uma análise intelectual e examinamos as várias causas e fatores que envolvem determinado problema que enfrentamos. Tal medida nos ajuda a compreender como as coisas são; então, por meio de um processo em que nos familiarizamos com essa compreensão e a integramos à nossa vida, atingimos um ponto em que não só o entendimento intelectual, mas também experimental dessa verdade se tornam quase uma segunda natureza.

É importante compreender com clareza e convencer-se de que emoções, como ódio e ganância, são forças interiores destrutivas que podemos tentar reduzir e, por fim, superar.

Podemos utilizar nossa inteligência para transformar nossa mente, moldando o tipo de atitude mental apropriada. Acredito, porém, que, nesse caso, a emoção é o fator mais importante, pois o tipo adequado de emoções realmente ajuda a desenvolver nossa força mental. A aplicação da inteligência ou da sabedoria é o método que utilizamos para estabelecer uma diferença entre emoções úteis ou prejudiciais. A maioria das pessoas costuma pensar que as emoções são algo negativo; por exemplo, quando alguém é descrito como "emotivo" demais, o termo tem uma conotação pejorativa, mas considero essa atitude incorreta, pois existem emoções positivas e negativas. Sentimentos de interesse e de afeição pelas pessoas são emoções positivas, o que é muito útil; em contraste, é evidente que ódio, medo e orgulho são emoções negativas, pois criam desconforto em nossa mente e na de terceiros. Aqui, mais uma vez, precisamos empregar nossa inteligência, à medida que aprendemos a estabelecer a diferença entre emoções úteis e prejudiciais. É importante compreender com clareza e convencer-se de que emoções, como ódio e ganância, são forças interiores destrutivas que podemos tentar reduzir e, por fim, superar. Do contrário, poderemos ter a impressão de que, embora sejam destrutivas, essas emoções negativas sejam uma parte natural de nossa mente e, como tal, não há muito que possamos fazer a respeito.Contudo, quando percebemos sua natureza destrutiva, esse fato em si diminui sua força ou poder gradativamente.

Segundo minha própria experiência, estudos e análises que realizei, através da meditação analítica sobre sentimentos de animosidade em relação às pessoas e outras emoções negativas, realmente me convenci de que elas são os verdadeiros inimigos que perturbam nossa paz interior e felicidade. Por exemplo, muitas vezes a raiva parece ser nossa protetora e amiga fiel. Além disso, quando estamos discutindo com alguém, temos a impressão de que ela nos dá mais energia e força para revidar. Mas, se analisarmos a situação adequadamente, a energia gerada pela raiva é o que chamo de "energia cega". Muitas vezes, ela provoca destruição ou, até mesmo, autodestruição, pois a melhor parte de nosso cérebro não consegue funcionar adequadamente quando dominado por uma ira profunda. Em vez disso, enxergamos apenas o interesse ou as conseqüências de curto prazo. É por esse motivo que digo que tais rompantes de raiva são "cegos". Às vezes, por brincadeira, menciono um motorista que tive em Lhasa, em 1959. Esse homem era calvo e extremamente irritável. Certo dia, enquanto fazia um conserto debaixo do carro, ele bateu a cabeça e perdeu a calma. Com raiva, socou o carro com a mão, o que provocou dor ainda maior. Se usarmos o bom senso, saberemos que, quando a carne humana atinge o metal, será a carne a sofrer, em vez do metal. Também, em meu próprio caso, no Tibet, eu tinha um relógio de bolso que não funcionava bem. Abri a parte posterior e movi uma pequena peça, na tentativa de fazê-lo trabalhar outra vez. Quando isso não ocorreu, perdi a calma e bati o relógio na mesa, quebrando-o completamente. Acho que quase todos nós vivemos alguma experiência semelhante, portanto conhecemos o resultado destrutivo que cega nossa inteligência ou nosso julgamento provocado pela raiva.

Se analisarmos o oposto da raiva, que é a paz de espírito, poderemos ver que, não importa o quanto nossos inimigos externos sejam poderosos, eles não têm a capacidade de destruir nossa paz de espírito diretamente. Entretanto, podemos destruí-la facilmente por intermédio de nossas emoções negativas. Quando surge uma raiva profunda, a paz de espírito automaticamente diminui ou desaparece, por completo; quando existe um apego muito grande, a paz de espírito diminui. O medo exerce o mesmo efeito.

Naturalmente, alguns tipos de medo são justificados, como o de sofrer um acidente de carro quando as condições da estrada estão péssimas. O medo realista do perigo é bom, pois faz com que ajamos com mais cuidado. Pode ocorrer o mesmo com a raiva, visto que ela pode nascer da preocupação pelos outros; essa raiva geralmente é positiva, enquanto a raiva gerada por sentimentos de animosidade em relação às pessoas é negativa.

Podemos também aplicar o mesmo raciocínio à atitude egoísta, à percepção do "eu", que pode ser de dois tipos. Uma profunda percepção do "eu" leva as pessoas a prejudicar e explorar os outros e abusar deles, a fim de atender aos próprios interesses o que, naturalmente, é ruim. No entanto, uma percepção oposta do "eu" faz com que as pessoas se disponham a enfrentar dificuldades e a sacrificar a própria posição e seus privilégios por se preocuparem com os outros e desejarem ajudá-los. Tal atitude lhes confere a autoconfiança de que podem e devem agir em prol dos outros. Quando baseada em força de vontade e determinação, essa profunda percepção do "eu" é positiva.

Portanto, acredito que precisamos estabelecer uma clara diferença entre emoções positivas e negativas. Algumas podem ser consideradas intrinsecamente hostis ou negativas, mas, se forem motivadas por emoções mais positivas como a compaixão, podem ser transformadas em forças e energias positivas. Deixe-me apresentar um exemplo: digamos que você tenha um vizinho pouco amistoso, que queira lhe criar problemas. A atitude antagônica dele gera em você sentimentos de má vontade em relação a ele. Essa sensação o incomoda com freqüência e, como resultado, seu humor fica instável e difícil; a primeira vítima não é o vizinho, mas os membros de sua própria família, inclusive seus filhos, que sofrem com seu mau humor. Você se sente frustrado sempre que seus familiares se aproximam e, às vezes, externa essa frustração com gritos; por fim, seus amigos, que o procuravam com freqüência, param de visitá-lo, devido à sua irritação. Sem os visitantes geralmente amistosos e uma atmosfera familiar agradável, você se sente ainda mais infeliz.

As cortinas ficam fechadas e você permanece em seu quarto como um verdadeiro prisioneiro, você toma tranqüilizantes, soníferos e álcool, e suas condições físicas se deterioram gradativamente, e o sorriso franco desaparece de seu rosto por completo. Agora, se seu vizinho queria realmente prejudicá-lo, não teve que mover uma palha, não é mesmo? Você realizou o desejo dele: a raiva e o ódio destruíram sua felicidade. Mas, apesar da atitude negativa do vizinho, se você se mantiver calmo e feliz, seus amigos continuarem a visitá-lo, você e seus familiares fizerem piqueniques e viagens de férias, seu trabalho transcorrer com êxito e sua felicidade aumentar, ele acabará se sentindo um tanto preocupado! Além do mais, se necessário, você pode se defender, fazendo uso das formas da lei. Assim, você poderá derrotar o vizinho por meio da razão, sem emoções negativas, e ele acabará por arruinar a própria vida, aos poucos. Se analisarmos os fatos dessa forma, iremos desenvolver lentamente a convicção de que o ódio é realmente prejudicial, tanto para nós mesmos quanto para os outros.

Segundo a ciência médica, uma mente frustrada, o medo, o estresse e a raiva são extremamente prejudiciais à saúde. Em um seminário sobre saúde a que assisti, um médico apresentou dados estatísticos indicando que pessoas que usam as palavras "eu", "mim" e "meu" com freqüência correm maior risco de sofrer um infarto do que as demais. Acredito que essa informação se baseia no fato de que, quando pensamos mais nos outros, nossa mente e visão se ampliam, e nossos próprios problemas parecem ser menos importantes. Eles continuam os mesmos, mas nossa atitude muda, fazendo-nos acreditar que "posso lidar com isso"; por outro lado, uma atitude extremamente egocêntrica limita muito nossa mente e, nesse espaço reduzido, os problemas parecem ser realmente insuportáveis.

Então, como devemos enfrentar as emoções negativas? Tomemos a raiva como exemplo. Alguns tipos de raiva são muito poderosos e outros, nem tanto. Quando ela é branda, como ocorre quando está prestes a se manifestar, podemos tentar enxergar a situação enervante sob um ângulo diferente e passar a vê-la de forma positiva. Em meu caso, perdi meu país e tornei-me um refugiado, situação extremamente infeliz sob muitos aspectos, porém, ao analisá-la sob outra perspectiva, percebi que ela me trouxe mais oportunidades de conhecer outras pessoas e trocar idéias com elas livremente, sem as restrições impostas pelos protocolos formais. Assim sendo, podemos utilizar o método de analisar as situações sob todos os ângulos, procurar aspectos positivos e tentar fazer cessar a raiva branda no ponto em que se encontra e, assim, superá-la. Entretanto, lidar com a raiva profunda é muito mais difícil, pois, quando ela se apodera de sua mente, é quase impossível controlá-la ou eliminá-la. O único meio eficaz é trabalhar com a mente enquanto ela se encontra livre de emoções intensas, analisar seu mundo interior repetidas vezes e, gradativamente, desenvolver uma consciência maior e algumas novas convicções. Dessa maneira, desenvolvemos uma mente e um corpo mais saudáveis, e as emoções negativas estarão mais fracas quando se manifestarem. Esse é um meio de treinar a mente.

Algumas pessoas realizam grandes esforços para mudar a forma física; acho que esse modo de treinar a mente é um meio de criar uma nova forma emocional.

Aqui, mais uma vez, há certa semelhança entre nosso bem-estar físico e mental. Se nossa constituição física básica for forte e gozarmos de boa saúde, o corpo será capaz de resistir e superar eventuais doenças que contrairmos. Da mesma maneira, pontos de vista basicamente saudáveis e éticos evitam o surgimento de muitas emoções e pensamentos negativos. E se eles ocorrerem, com pontos de vista e idéias saudáveis, estaremos bem equipados para superá-los e evitaremos que eles exerçam um impacto duradouro em nós. Assim, no futuro, seremos capazes de reduzir seu surgimento.

Pontos de vista basicamente saudáveis e éticos evitam o surgimento de muitas emoções e pensamentos negativos.

O tempo representa um papel significativo para que ocorra tal transformação no aspecto mental e, especialmente, emocional. Precisamos dedicar um esforço constante à prática da meditação analítica, por exemplo, para que possamos conhecê-la melhor gradativamente e alcançar mais convicção e determinação. É uma atitude irreal e equivocada pensar que apenas um pensamento irá remover emoções negativas para sempre, como se tivéssemos tomado um analgésico para curar uma dor de cabeça: transformar a mente leva tempo.

Perdi a liberdade com 16 anos e, aos 24, perdi meu país; sou refugiado político há mais de quarenta e três anos. Enquanto isso, as notícias vindas do Tibet têm sido sempre muito tristes. Durante todo esse período, constatei que minha maior aliada e protetora foi minha inteligência, numa combinação de "coração" e "mente": ela me confere força interior, autoconfiança e entusiasmo. Apesar dos muitos problemas, nunca tomo tranqüilizantes e, é claro, como monge, não posso tomar bebidas alcoólicas, mas não há necessidade para nada disso, nem para soníferos. Às vezes, no dia-a-dia, recebo notícias perturbadoras e até dolorosas ou tomo conhecimento de algum acontecimento trágico. Naturalmente, sinto muita tristeza e, às vezes, num nível superficial, até raiva, mas essas emoções não me acompanham durante muito tempo. No fundo de meu ser, existe algum tipo de paz interior. E a considero uma combinação de "inteligência" e "bom coração", e acho que isso é uma verdadeira ajuda. Meu caso não é único, todos têm o mesmo potencial. A questão é se as pessoas o desenvolvem ou não.

Nós, seres humanos, nascemos e crescemos sob a influência de nossos pais, de modo que, desde a infância, aprendemos o valor da afeição e bondade humanas. A ciência médica moderna defende o parecer de que o toque físico da mãe desde os primeiros dias de vida é um fator crucial para o nosso desenvolvimento. Hoje, pessoas de todo o mundo compreendem a importância da educação, mas nem todas dão atenção apropriada ao desenvolvimento de um coração caloroso. Gosto de pedir às pessoas que pensem mais nos valores do ser humano: compaixão, afeição e senso de preocupação mútua. Se adquirirmos mais desses valores, nossos sentimentos e emoções serão mais saudáveis e, como resultado, nossa paz de espírito será maior. Assim, quando enfrentarmos problemas, poderemos lidar com eles mais facilmente. Entretanto, se nossa mente estiver por demais perturbada com emoções, até problemas simples serão difíceis de solucionar porque não podemos usar nossa inteligência adequadamente. Cada um de nós tem o potencial de desenvolver um coração humano e caloroso. Muitas vezes, as pessoas pensam que praticar a compaixão e o perdão traz benefícios aos outros e ainda mais sofrimento para elas mesmas, mas acredito que essa atitude é equivocada: o benefício, na verdade, não vai para quem os recebe, mas, sim, para quem os pratica.

Cada um de nós tem o potencial de desenvolver um coração humano e caloroso.

Vou ilustrar esse fato com um breve exemplo extraído de minha própria vida. Recentemente, contraí uma infecção intestinal bastante dolorosa. Enquanto estive doente, passei por alguns vilarejos próximos de Patna, em Bihar, um dos estados mais pobres da Índia. Vi várias crianças na estrada, algumas das quais doentes, e alguns pacientes de pólio; aparentemente ninguém cuidava deles. Havia também um velho deitado numa pequena maca e que parecia muito doente, mas não havia ninguém para olhar por ele. Aquilo me emocionou muito. Passei dia e noite relembrando aquelas pobres crianças e o velho homem. Essa lembrança reduziu a percepção de minha própria dor, de minha doença, pois a compaixão por eles desviava a atenção de minha mente e, como resultado, minha dor diminuiu. Um sentimento maior de preocupação em relação a outras pessoas realmente fortalece nosso ser interior; a doença não desapareceu devido à compaixão, mas, pelo menos, a sensação de dor e a ansiedade mental associada a ela foi grandemente reduzida.

Se, pelo menos, outro membro da família tiver um coração verdadeiramente bom, toda a família, os vizinhos e a comunidade em geral irão se beneficiar. Assim sendo, se realmente quisermos lutar pela meta de conquistar um mundo feliz, deveremos nos esforçar em desenvolver nosso próprio bom coração em combinação com a inteligência. Como conseqüência, uma sociedade mais feliz, harmoniosa, cordial e pacífica poderá surgir.

Atualmente, parece que as pessoas e os governos em todo lugar compreendem totalmente a importância da educação, mas se concentram em desenvolver o cérebro e deixam de dar atenção a outros aspectos – refiro-me às emoções, a um coração caloroso e a valores humanos básicos. Tradicionalmente, eles pertenciam à esfera das instituições religiosas; na sociedade atual, contudo, a influência dessas instituições e dos valores familiares tem diminuído e, como resultado, parece que ninguém está cuidando dos valores humanos básicos dos jovens. Em minha opinião, os membros da família, as instituições educacionais e a mídia têm um papel especial a desempenhar nesse aspecto. Não devemos subestimar a importância desses louváveis valores humanos, seja para a sociedade ou para nós mesmos. Por exemplo, não podemos desenvolver experiências espirituais verdadeiras e significativas sem boas qualidades humanas como nossa formação. Nesse aspecto, cada indivíduo é responsável por si mesmo e ninguém pode desenvolver um bom coração por nós. Mas cada um de nós possui o mesmo potencial para criar uma vida feliz.

Acho que as pessoas no mundo moderno dão atenção demais a fatores externos e deixam de proceder a uma investigação profunda de seu mundo interior. Portanto, quero pedir ou sugerir que vocês pensem mais em seu mundo interior; naturalmente, é necessário cuidar do trabalho e de outras responsabilidades, mas, no início do dia ou à noite, ou em seus momentos de lazer, analise profundamente sua mente e suas emoções. Não pense que tal atividade tem algo a ver somente com religião: a fé religiosa é algo diferente. O principal método empregado no budismo é o de mudar ou moldar as emoções por meio do raciocínio e do uso da inteligência, de modo que acredito que alguns desses métodos budistas poderiam ser adotados no mundo secular. Sem a necessidade de qualquer crença religiosa ou budista em especial, as pessoas podem testar a eficiência desses métodos por si mesmas. Sempre deixo claro que não estou interessado em propagar o budismo. A fé e a prática religiosa são um direito do indivíduo, mas acredito que muitas pessoas deveriam se esforçar mais para desenvolver um coração caloroso, pois ele é o ponto de partida para a felicidade e o futuro. O futuro da humanidade depende totalmente de nós. Orações podem exercer alguma influência, mas os verdadeiros resultados devem se originar de nosso trabalho duro, com motivação sincera e uma visão clara.

2 Os princípios do budismo

Quero apresentar aqui um breve resumo da estrutura conceitual que sustenta os ensinamentos fundamentais de Buda sobre as "Quatro nobres verdades" – a verdade do sofrimento, a verdade da origem do sofrimento, a verdade da cessação do sofrimento e a verdade do caminho para a cessação do sofrimento.

Buda ensinou essas nobres verdades logo após ter alcançado a iluminação como parte do que é conhecido como o primeiro giro da "Roda do Dharma". Sem uma compreensão profunda das "Quatro nobres verdades", não podemos avançar de modo significativo em nosso estudo e compreensão da natureza da realidade, segundo o budismo. Primeiro, porém, gostaria de deixar claro que todas as principais tradições religiosas possuem o mesmo potencial, a mesma mensagem e meta, ou seja, o verdadeiro desejo de criar melhores condições para o mundo, um mundo mais feliz, com uma humanidade mais compassiva. Essa é uma crença partilhada por todas as grandes religiões.

Para que possamos viver em harmonia, devemos fazer um esforço conjunto. É muito importante praticar o respeito mútuo em vez de tentar propagar nossa tradição. Logo, enfatizo sempre que pessoas de diferentes tradições devem conservar a própria fé e não se apressar em mudar de religião. Atualmente, há muitos asiáticos na Austrália que vêm de países tradicionalmente budistas e, nessa reunião, temos monges e monjas do Vietnã, da Tailândia, da Birmânia, do Sri Lanka e do Japão; também há aqueles vindos da China, da Mongólia e do Tibet. Além disso, há algumas pessoas entre os milhões de ocidentais de formação tradicionalmente cristã, cuja inclinação ou atitude mental as faz considerar a abordagem budista mais eficiente. Com base nesses fatos, ofereço algumas explicações sobre o Dharma hoje, aqui.

Três níveis de compreensão

No budismo, fala-se de três diferentes níveis de compreensão seqüenciais: a compreensão adquirida por meio do estudo e aprendizado, a compreensão desenvolvida através da reflexão e contemplação profundas e a compreensão adquirida através da experiência meditativa.

Há uma ordem definida nessa seqüência, portanto, quanto ao estudo e aprendizado – que é o primeiro nível – aprofundamos nossa compreensão sobre um determinado tópico através da reflexão constante, até atingirmos um ponto em que adquirimos um elevado grau de certeza ou convicção firmemente fundamentado na razão. Nesse momento, mesmo que terceiros contradigam essa compreensão e as premissas nas quais está baseada, não seremos influenciados, pois a certeza da verdade foi gerada pelo poder da reflexão crítica. Esse é o segundo nível de compreensão que, contudo, ainda se encontra num nível intelectual. Se continuarmos a buscar essa compreensão e a aprofundarmos por intermédio da contemplação constante e familiarização com a verdade, atingiremos um ponto em que sentiremos o impacto num nível emocional. Em outras palavras, nossa convicção não estará mais num nível meramente intelectual. Esse é o terceiro nível de compreensão, que é experimental, e é citado nos textos como a compreensão originada da experiência meditativa.

Depois de ouvir minha palestra, muitos de vocês terão atingido o primeiro nível de compreensão. Se você se interessar pelo tema das "Quatro nobres verdades", terá que desenvolver esse primeiro nível de compreensão aumentando constantemente seu conhecimento por meio de reflexão e contemplação profundas. Assim sendo, de certo modo, você precisa fazer o dever de casa. E poderá, então, atingir o segundo nível de compreensão. Os que estão verdadeiramente interessados nos ensinamentos budistas e no caminho espiritual que apresentam deverão aprofundar ainda mais sua compreensão por meio da meditação constante, para que possam avançar para o terceiro nível. Entretanto, é preciso entender que esse processo irá tomar tempo; ele exige comprometimento por um período de prática espiritual longo e ininterrupto. Assim, talvez seja preciso superar o hábito moderno da automação diária. Ligamos um interruptor e algo salta à nossa frente! Precisamos nos esforçar para remover esse condicionamento, voltar a uma época em que o trabalho duro era o único método viável e passar por mais de dois mil anos de esforços do ser humano.

Ligamos um interruptor e algo salta à nossa frente! Precisamos nos esforçar para remover esse condicionamento, voltar a uma época em que o trabalho duro era o único método viável e passar por mais de dois mil anos de esforços do ser humano.

O budismo e outras tradições indianas antigas

Há mais de dois mil e quinhentos anos, antes do nascimento de Buda *Shakyamuni*, existiam vários sistemas de pensamento espiritual e filosófico na Índia. Buda integrou alguns dos temas e práticas desses sistemas aos seus próprios ensinamentos, como o cultivo de uma mente disciplinada, a fim de desenvolver a tolerância calma e várias práticas de meditação, cujo objetivo é a redução dos níveis de apego às coisas. Com base nesses e em outros ensinamentos espirituais, Buda desenvolveu um sistema de pensamento e prática único, centrado na compreensão fundamental de que não há um "eu" real ou independente. Esse é o ensinamento da ausência do eu, conhecido em sânscrito como *anatman*.

Em termos gerais, havia duas categorias no mundo das tradições espirituais na antiga Índia. De um lado, encontravam-se as tradições espirituais que, de uma forma ou outra, sustentavam a crença no conceito de um ser ou deus transcendental como criador divino; do outro, havia tradições que não concordavam com esse ponto de vista. De modo semelhante, alguns aceitavam o conceito do renascimento ou reencarnação, enquanto outros o contestavam. Entre os que aceitavam a idéia do renascimento, havia alguns que também admitiam a possibilidade de atingir a libertação de uma existência cíclica e, conseqüentemente, a possibilidade de que os indivíduos pudessem encontrar a liberdade espiritual absoluta. Além disso, entre esses, alguns aceitavam o conceito de um eu eterno e permanente (*atman*, em sânscrito), enquanto outros rejeitavam essa idéia do eu imortal. O budismo pertence à categoria das antigas escolas indianas que rejeitam qualquer conceito que envolva um deus transcendental como criador. Outras nessa categoria incluem a subescola da Escola Indiana Clássica *Samkhya* e o Jainismo.

Na antiga Índia, era imensa a diversidade de tradições, muitas das quais defendiam pontos de vista filosóficos e metafísicos distintos e, em alguns casos, conflitantes. A pergunta é: por que isso ocorria? Acho importante compreender que a diversidade de tradições e, em especial, os pontos de vista metafísicos que as fundamentavam refletem, na realidade, a necessidade de se ter um grupo variado de praticantes individuais que busquem conforto espiritual. Isso, por sua vez, mostra a diversidade fundamental que existe naturalmente nas disposições mentais e inclinações espirituais dos seres sencientes.

Hoje, como naquela época, o conceito de um deus transcendental como criador exerce um impacto poderoso e inspirador nas vidas de quem acredita nele. A percepção de que todo o seu destino se encontra nas mãos de um ser todo poderoso, onisciente e compassivo leva as pessoas a tentarem entender as obras e a mensagem principal desse ser transcendental. Então, quando elas compreendem que esse ser transcendental é a personificação do amor e da compaixão infinita, procuram cultivar o amor e a compaixão em relação a seus semelhantes e os consideram como as qualidades pelas quais manifestar amor por seu criador. Elas também conquistam segurança e inspiração por meio de um sentimento de intimidade ou união com esse ser amoroso e transcendental.

Apesar de, em termos metafísicos, os budistas rejeitarem qualquer crença que envolva um criador ou deus transcendental, alguns se referem a determinados seres superiores, como a deusa *Tara*, como um ser independente e real, com poder sobre o destino deles. Para esses praticantes, *Tara* é seu único refúgio, maior objeto de veneração e sua protetora e guardiã fiel. Isso indica que a inclinação de buscar refúgio em uma fonte externa é algo extremamente natural para os seres humanos.

Mas também fica claro que, para outras pessoas, o conceito metafísico de um ser transcendental é inaceitável. Perguntas formam-se em suas mentes, tais como: quem criou o criador – em outras palavras – de onde vem o ser transcendental? E como podemos acreditar numa origem precisa? Pessoas com esse tipo de disposição mental procuram explicações em outros lugares. A antiga filosofia indiana *Samkhya*, por exemplo, concorda com o pensamento budista ao aceitar que todos os fatos e acontecimentos, inclusive os seres sencientes, passam a existir como resultado de causas e condições. Os filósofos seguidores desse sistema afirmaram que a realidade existe em dois níveis: há o mundo da experiência diária, caracterizada pela diversidade e pluralidade; e existe a origem do mundo da multiplicidade, que eles chamaram de "matéria original" (*prakrit*, em sânscrito). O budismo rejeita essa teoria de realidade em vez de defender a interpretação de que todas as coisas e acontecimentos, inclusive os seres sencientes, existem meramente em decorrência da agregação de causas e efeitos.

O budismo reconhece duas esferas gerais de causação, exteriores e interiores. A esfera exterior refere-se ao ambiente externo, como todo o nosso ambiente natural, isto é, o mundo físico no qual vivemos, inclusive nosso corpo; a esfera interior é constituída de percepções, sentimentos, emoções e pensamentos, que normalmente rotulamos de domínio da "experiência subjetiva". Ambas as esferas são compostas de elementos transientes; em outras palavras, elas nascem e, em determinado momento, deixam de existir. Nós mesmos podemos observar essa natureza transiente, tanto em nossos pensamentos e emoções como também no ambiente natural. Quando compreendemos essa realidade, podemos deduzir que, para que algo deixe de existir, é preciso que as causas dessa cessação ocorram de momento a momento. Nada mais poderia justificar de modo coerente as mudanças que percebemos ao longo de um período de tempo.

Em resumo, o ponto de vista básico budista em relação à origem e natureza da realidade defende que coisas e acontecimentos nascem puramente em decorrência da união de causas e condições e que todos esses fenômenos são transientes, visto que estão sujeitos a mudanças constantes e de momento a momento.

A geração dependente e a lei da causalidade

O princípio fundamental aqui é o da geração dependente. Esse princípio básico do budismo afirma que tudo nasce e morre em decorrência de causas e condições. O pensador budista indiano do século 4º

Asanga identificou três condições essenciais que orientam o princípio da geração dependente: em primeiro lugar, há a "condição da ausência de um criador", que se refere à questão de haver ou não uma inteligência transcendental que fundamente a origem do universo; em segundo, há a "condição da impermanência", que se refere à idéia de que as próprias causas e condições que dão origem ao mundo da geração dependente são impermanentes e sujeitas a mudanças; em terceiro, temos a "condição de potencialidade". Esse princípio extremamente importante do pensamento budista refere-se ao fato de que não se pode produzir algo simplesmente a partir do nada: ao contrário, para que um determinado conjunto de causas e condições dê origem a um determinado conjunto de efeitos e conseqüências, deve haver algum tipo de relacionamento natural entre eles. Por exemplo, nossa esfera de experiência interior – composta de percepções, intenções, pensamentos, emoções, etc. – é, antes de tudo, um fenômeno mental em vez de físico e, assim, devemos ser capazes de rastrear seu curso evolutivo através dos sucessivos estágios de cognição. Poderíamos dizer que, segundo a visão budista, isso faz parte de uma lei natural que se aplica igualmente ao mundo físico. Devemos ser capazes de buscar as causas das propriedades físicas em outros níveis dessas mesmas propriedades e, por fim, no início do atual universo.

Para que um determinado conjunto de causas e condições dê origem a um determinado conjunto de efeitos e conseqüências, deve haver algum tipo de relacionamento natural entre eles.

Por intermédio desse processo redutivo, é possível prever um tipo de estado no início do atual universo em que houve uma causa para a evolução de todo o mundo macroscópico. Segundo o ponto de vista budista – por exemplo, em um dos textos de Kalachakra Tantra –, há uma explicação para o que é denominado de "partículas cósmicas", na falta de um termo mais adequado. Imagina-se que sejam partículas de um material extremamente leve, vistas como a fonte ou origem de toda a evolução do universo físico que vivenciamos hoje. Assim sendo, em termos de causação, podemos localizar a origem de todos os objetos materiais no nível em que são constituídos de partículas e, a partir daí, a origem do universo.

O ponto essencial referente a essa condição de potencialidade é que, embora haja uma relação causal entre o mundo físico e o mundo de fenômenos mentais, em termos de seu próprio *continuum*, não se pode afirmar que um seja a causa do outro. Um fenômeno mental, como o pensamento ou a emoção, deve originar-se de um fenômeno mental precedente; da mesma forma, uma partícula de matéria deve vir de uma partícula de matéria precedente. É claro que existe uma relação íntima entre ambos. Sabemos que estados mentais podem influenciar fenômenos materiais como o corpo e, de modo semelhante, esses fenômenos materiais podem agir como fatores de contribuição para determinadas experiências subjetivas. Esse é um fato que podemos observar em nossas vidas, pois grande parte de nosso nível de consciência está intimamente ligada a nosso corpo e, de fato, muitas vezes usamos uma terminologia e convenções que refletem esse fato. Por exemplo, quando dizemos "mente humana" ou "consciência humana", estamos usando o corpo humano como base para definir um determinado estado de espírito. Da mesma maneira, nos níveis globais da mente, como nossas experiências sensoriais, é bastante óbvio que elas dependam muito de nosso corpo e de alguns estados fisiológicos. Quando, por exemplo, parte do corpo é ferida ou molestada, imediatamente experimentamos o impacto em nosso estado mental, contudo permanece o princípio de que os fenômenos mentais devem se originar de fenômenos precedentes do mesmo tipo e assim por diante.

Se encontrarmos origens bastante remotas dos fenômenos mentais, como no caso da existência de um indivíduo, chegaremos ao primeiro momento de consciência em sua vida. Assim que rastrearmos seu *continuum* até esse ponto inicial, teremos três opções: poderemos dizer que o primeiro instante de consciência em sua vida originou-se num instante de consciência precedente, que existiu numa vida passada; poderemos afirmar que esse primeiro instante de consciência não vem de nenhum lugar – ele simplesmente "apareceu"; ou poderemos dizer que foi gerado por uma causa material. Segundo o ponto de vista budista, as duas últimas alternativas são profundamente problemáticas. A visão budista defende que, em termos de seu *continuum*, a consciência ou a mente não tem início, fenômenos mentais não têm início. Conseqüentemente, a pessoa ou ser – que é essencialmente uma designação baseada no *continuum* da mente – também é destituída(o) de um início.

O mundo interior da consciência

Quando usamos termos como "consciência" ou "mente", muitas vezes damos a impressão de estarmos falando de uma entidade única e monolítica, impressão essa equivocada. Nossa própria experiência pessoal revela que o mundo mental é tremendamente diversificado. Além do mais, quando examinamos cada momento de cognição ou experiência mental, percebemos que todos estão relacionados a objetos internos ou externos. Por exemplo, se examinarmos um momento de percepção, constataremos que ele assume o aspecto de qualquer objeto que estiver em foco naquele exato momento. E, como muitas vezes criamos falsas impressões com base em percepções distorcidas, podemos afirmar que algumas de nossas percepções são válidas, enquanto outras não são.

Em termos gerais, podemos identificar duas categorias significativas na esfera da consciência, isto é, em nosso mundo subjetivo da experiência: há as que se referem a experiências sensoriais, como a visão e a audição, em que ocorre um envolvimento direto e não mediado com os objetos; e há aquelas em que nosso envolvimento cognitivo com o mundo é mediado através da linguagem, conceitos e pensamentos. Nesse modelo, a percepção é compreendida principalmente como uma experiência direta dos objetos em um nível sensorial. Isso ocorre pela mediação de dados dos sentidos, mas sem o envolvimento de julgamentos sobre se o objeto é desejável ou indesejável, atraente ou não atraente, bom ou ruim. Esses julgamentos ocorrem num segundo estágio em que o pensamento conceitual entra em ação.

Vamos, agora, relacionar esses fatos à nossa experiência pessoal. Quando observamos um objeto nesse primeiro instante de percepção, temos uma experiência visual direta e não mediada dele. Se, então, fecharmos os olhos e pensarmos no mesmo objeto, sua imagem ainda estará viva em nossa mente, mas nosso envolvimento com ele estará ocorrendo no nível do pensamento conceitual. Essas duas experiências são qualitativamente diferentes, no sentido de que a imagem criada conceitualmente implica a fusão de tempo e espaço.

Por exemplo, você vê uma linda flor num canto do jardim. No dia seguinte, você vê a mesma espécie de flor em outro ponto do mesmo jardim e pensa: "Ah, já vi essa flor antes". Na realidade, porém, essas duas flores são completamente diferentes e se encontram em partes distintas do jardim. Além disso, a flor que você viu ontem não é a que você está vendo hoje. Assim, embora as duas flores estivessem separadas em termos de tempo e espaço, quando o momento ocorre em seus pensamentos, você está fundindo tempo e espaço e projetando a imagem da flor que viu no dia anterior na que está vendo agora. Essa combinação de tempo e espaço em seu pensamento, muitas vezes mediada pela linguagem e pelos conceitos, mais uma vez indica que algumas de suas percepções são válidas e outras são falsas.

A maneira distorcida pela qual compreendemos o mundo confunde nossa mente e leva a todo tipo de problemas.

Estaria tudo bem se essas percepções distorcidas ou falsas simplesmente não gerassem conseqüências negativas, mas não é o que ocorre. A maneira distorcida pela qual compreendemos o mundo confunde nossa mente e leva a todo tipo de problemas. Essa confusão influencia o modo pelo qual participamos do mundo, o que, por sua vez, provoca sofrimento para nós e para os outros. Como é natural querer ser feliz e superar o sofrimento, é vital reconhecer que a confusão básica quanto à nossa compreensão do mundo (e de nós mesmos) é a origem de grande parte de nosso sofrimento e de nossas dificuldades. Além do mais, visto que nossas experiências de felicidade e sofrimento e a ignorância fundamental, que é a causa de nosso sofrimento, são fenômenos mentais, se realmente desejarmos satisfazer nossas aspirações de felicidade e superar o sofrimento, devemos compreender pelo menos o funcionamento básico de nosso mundo interior, ou seja, o mundo da consciência.

Os quatro princípios da realidade

Permita-nos retomar a discussão da visão budista de que todas as experiências e coisas nascem em decorrência de causas e condições. O que isso significa para nosso mundo ou nossas experiências, como as experiências de dor, prazer, sofrimento ou felicidade? Além disso, visto que todos nós possuímos o desejo natural de sermos felizes e superarmos o sofrimento, quando falamos em vivenciar sofrimento ou felicidade, estamos falando do mundo de nossa própria experiência. Como experiências são fenômenos mentais, torna-se crucial, para os que desejam verdadeiramente alcançar a felicidade e superar o sofrimento, pelo menos entender o funcionamento básico de seu próprio mundo interior.

Nossas experiências de felicidade e sofrimento não ocorrem por uma razão especial. Elas são resultado de causas e condições precedentes e da união de muitos fatores diversos. Alguns deles são externos, mas a grande maioria é, com certeza, interna. Em outras palavras, eles estão relacionados ao nosso mundo mental.

Então, podemos perguntar: "Exatamente qual é a natureza desses fenômenos mentais? Como podemos ver ou compreender a lei de causalidade em relação ao nosso mundo interior? Que motivo temos para aceitar que objetos materiais possuem determinadas características específicas, como o fato de serem visíveis ou tangíveis, ou outra especificidade? E que motivos temos para compreender que fenômenos mentais também possuem características específicas, como a ausência de propriedades obstrutivas e espaciais, e apresentam as características de experiências subjetivas? Por que existe um *continuum* de consciência? E por que há um *continuum* no mundo material?"

A visão budista dos quatro princípios da realidade pode nos ajudar a lidar com essas importantes questões filosóficas. O primeiro é o princípio da natureza, segundo o qual se entende que o fato de existirmos e de possuirmos um desejo natural de sermos felizes e de superar o sofrimento simplesmente é o que é. Esse princípio é semelhante ao conceito de uma lei natural em ciências e também se refere ao fato de que as coisas e os acontecimentos, inclusive os seres sencientes, nascem como resultado de causas e condições. Isso também se estende à evolução e origem de nosso universo atual. Segundo esse princípio, ocorre um tipo de processo de causação natural de forma difusa. Assim sendo, podemos afirmar que o *continuum* material do universo consiste em objetos e acontecimentos que nascem por meio de um processo evolutivo.

Podemos, então, perguntar: "Será esse um processo puramente natural, sem a atuação de influências externas? Nesse caso, como podemos explicar o fato de que o universo físico assume determinada natureza e forma em determinado momento, de modo a exercer um impacto direto na experiência de dor e prazer dos seres sencientes? Além disso, como se explica que, por meio desse processo aparentemente natural, atinge-se certo ponto em que causas e condições atuam como base para o surgimento da consciência e experiência?"

O termo "carma" significa "ação" e refere-se ao processo de causa e efeito em que está envolvida a intenção de um agente ou ser.

Segundo o ponto de vista budista, é nesse momento que o carma entra em ação. Literalmente, o termo "carma" significa "ação" e, mais especificamente, refere-se ao processo de causa e efeito em que está envolvida a intenção de um agente ou ser. Assim, aqui, carma significa um ato intencional cometido ou executado por um ser que possui uma natureza senciente e que também é capaz de ter uma experiência senciente.

Vamos, mais uma vez, tomar o exemplo de uma flor, a fim de ilustrar essa idéia. Em geral, quando achamos que determinada flor é bonita e admiramos seu perfume e cor maravilhosos, ela se torna objeto de prazer para nós; gostamos de vê-la e observar sua beleza. Ao mesmo tempo, essa flor pode servir de abrigo para uma série de insetos e outros organismos biológicos. Em ambos os casos, mesmo que a flor não seja ela mesma um ser senciente, exerce um impacto na experiência de dor e prazer de seres sencientes. Assim, para os budistas, o conceito de carma oferece uma estrutura extremamente útil para se compreender como um objeto não senciente, como uma flor, pode relacionar-se diretamente com a experiência de um ser senciente.

Tendo dito isso, um tema aberto para discussão é: até que ponto o carma pode ser encarado como tendo um papel a desempenhar na geração de uma determinada flor. É desnecessário dizer que também existem outras questões. Por exemplo, o que faz com que as pétalas de uma flor murchem e percam a vivacidade em um dia ou dois, enquanto outras duram uma semana? Seria essa apenas uma função das leis da natureza ou o carma desempenha um papel até mesmo nesse nível de modesta causação? Todas essas questões continuam indefinidas. Talvez seja por causa desse tipo de dificuldade que se afirme, em textos budistas, que apenas a mente de um Buda onisciente pode penetrar nos aspectos mais sutis dos mecanismos do carma e saber, nos mínimos detalhes, que causas e condições específicas dão origem a que conseqüências específicas. Em nosso nível, podemos apenas reconhecer que existe uma relação íntima entre os elementos externos do mundo material e os elementos internos de nosso mundo mental e, baseados nisso, podemos aprender a detectar os vários níveis de sutileza em nossas experiências mentais e emocionais.

O segundo princípio de realidade relevante para nossa presente discussão é o "princípio da dependência", que se refere à compreensão da causa e do efeito. Tomando por base a compreensão do princípio da natureza – o fato de que as coisas existem naturalmente como são – vemos a atuação do princípio da dependência na interação das coisas e acontecimentos causando o surgimento de outras coisas e acontecimentos. O terceiro princípio é o "princípio da função", que nos ajuda a entender como diferentes coisas – como partículas, átomos e outras substâncias materiais, além de fenômenos mentais – possuem suas propriedades individuais, que as fazem funcionar de uma maneira específica. Finalmente, com base na compreensão desses três princípios, podemos aplicar o quarto, que é o "princípio do raciocínio válido". Ele nos permite concluir que, quando ocorre um fato, teremos uma conseqüência x, que, ocorrendo outro, teremos um resultado y e assim por diante. Assim, nós, budistas, empregamos a estrutura dos quatro princípios fundamentais da realidade à medida que procuramos compreender, com mais clareza, os mecanismos das causas, condições e seus efeitos.

As quatro nobres verdades

Se, agora, nos concentrarmos nos mecanismos das causas e efeitos referentes à nossa existência, naturalmente tomaremos nossa experiência pessoal como base para cultivar um entendimento mais profundo. Nesse contexto, os ensinamentos de Buda sobre as "Quatro nobres verdades" podem se mostrar extremamente úteis porque estão diretamente relacionados à nossa própria experiência, especialmente ao desejo inato de buscar a felicidade e superar o sofrimento. Em resumo, o ensinamento de Buda sobre as "Quatro nobres verdades" nos leva: em primeiro lugar, a um profundo reconhecimento da natureza do sofrimento; depois, ao reconhecimento das origens do sofrimento; em seguida, ao reconhecimento da possibilidade da cessação do sofrimento; e, finalmente, ao reconhecimento do caminho que conduz a essa liberdade.

O budismo reconhece três níveis de sofrimento: o sofrimento do sofrimento, o sofrimento da mudança e o sofrimento difuso da existência condicionada. Com relação ao primeiro – o sofrimento do sofrimento –, até mesmo animais são capazes de identificar essas experiências evidentemente dolorosas como indesejáveis. Assim como nós, eles mostram um instinto natural para evitar tais experiências e se livrar delas. Com respeito ao segundo nível de sofrimento – o sofrimento da mudança –, até mesmo praticantes não budistas podem cultivar com sucesso tanto o reconhecimento de que isso é indesejável como o desejo de se libertar dele.

O sofrimento do condicionamento difuso é típico do budismo. Praticantes espirituais que desejam buscar a libertação total da existência cíclica devem desenvolver um profundo reconhecimento dessa forma de sofrimento. Precisamos cultivar a compreensão de que o sofrimento do condicionamento difuso não só age como base para nossa experiência atual de sofrimento, mas, crucialmente, também serve como fonte de futuras experiências de sofrimento. Com base nesse firme reconhecimento de nossa existência extremamente condicionada como forma de sofrimento, devemos então cultivar o verdadeiro desejo de buscar a liberdade. Nosso sentimento de desejo de liberdade deve ser de tal modo poderoso que sintamos que essa existência condicionada deva ser uma doença grave, da qual desejamos ansiosamente nos recuperar o mais rápido possível.

Nosso sentimento de desejo de liberdade deve ser de tal modo poderoso que sintamos que essa existência condicionada deva ser uma doença grave, da qual desejamos ansiosamente nos recuperar o mais rápido possível.

O que dá origem a esse terceiro nível de sofrimento, ou seja, o sofrimento do condicionamento difuso? O budismo identifica os dois elementos do carma e as aflições como as verdadeiras origens do sofrimento. O carma nasce das aflições mentais, que são essencialmente de dois tipos: aflições conceituais, como pontos de vista equivocados, e aflições emocionais, como a luxúria, a raiva e a inveja. Nós nos referimos a elas como "aflições" (*nyongmong*, em tibetano) porque seu surgimento no coração e na mente imediatamente cria uma forma de aflição, caracterizada por um estado de profunda perturbação e intranqüilidade, que conduz a outros níveis de aflição na mente e no coração, como ser atormentado pela tristeza, confusão e outras formas de sofrimento.

Geralmente, todas essas aflições mentais são geradas por três venenos básicos que perturbam a mente – apego, raiva e ilusão. A ilusão é a base dos outros dois e de todas as nossas aflições e, no contexto do pensamento budista *Mahayana*, a ilusão se refere à visão equivocada que temos sobre a real existência das coisas e acontecimentos. Assim sendo, ao erradicarmos a ilusão – que é a causa de todas as aflições – poderemos lutar e dar um fim ao sofrimento e, dessa forma, alcançar a verdadeira liberação (*moksha*, em sânscrito).

Em seus textos **Fundamentos do caminho do meio**, o influente pensador budista do século 2º Nagarjuna explica que poderemos ver além de nossa ilusão e levar toda essa cadeia equivocada de causas e efeitos a um fim, somente se cultivarmos a compreensão quanto ao vazio do eu e dos fenômenos. Conseqüentemente, a compreensão do vazio combinada ao cultivo da paixão é a verdadeira essência da prática dos ensinamentos de Buda.[1] Um praticante que se sente realizado e que alcançou a verdadeira cessação do sofrimento continuará a viver de acordo com esse princípio no mundo por meio de ações compassivas. Descrevo esse fato como uma atividade maravilhosa de alguém que compreendeu o vazio e se entrega a um comportamento compassivo.

Os três treinamentos superiores

O ensinamento sobre as "Quatro nobres verdades", que foi o primeiro ensinamento de Buda após ter atingido o completo despertar, representa a fundação para as práticas do vazio e do cultivo da compaixão. Esses preceitos sustentam tudo o que Buda ensinou posteriormente e nos ajudam a alcançar uma compreensão fundamental de como as coisas realmente são. Com base em tal compreensão, podemos nos envolver, com sucesso, nas práticas personificadas nos "Três treinamentos superiores".

Eles se referem a treinamentos superiores em moralidade, concentração e sabedoria. O treinamento superior da moralidade serve como base para o cultivo da disciplina da mente, que é um componente essencial do segundo treinamento superior, isto é, o treinamento superior da concentração.

Existem três categorias de preceitos no treinamento superior da moralidade. Em termos gerais, há os preceitos ou moralidade do leigo e os preceitos ou moralidade do membro ordenado. Ao todo, podemos enumerar sete ou oito classes diferentes de preceitos que se combinam a fim de personificar os ensinamentos sobre moralidade. Tomando a moralidade ou a prática da disciplina ética como base, o praticante individual cultiva a disciplina da mente e, assim, desenvolve o segundo treinamento superior, ou seja, o treinamento superior da concentração.

Os textos budistas referem-se a esses treinamentos como "superiores", para distingui-los das práticas comuns da moralidade, disciplina e compreensão, que não são exclusivas do budismo em si. Para que tal prática seja considerada um treinamento superior no contexto budista, é preciso que seja baseada numa motivação apropriada, como a busca do refúgio nas "Três jóias", que são: o Buda, que é o mestre; o Dharma, que é o ensinamento; e a Sangha, que é a comunidade de praticantes sinceros. Desses três, o discípulo budista deve refugiar-se no Dharma, em especial, como o verdadeiro meio para findar o sofrimento e alcançar a libertação. Além de buscar um refúgio, a prática budista para desenvolver a disciplina deve estar fundamentada num profundo sentimento de renúncia que transcenda todas as preocupações mundanas. Com base nessas duas – a moralidade como base e a disciplina como método –, o verdadeiro caminho fica entesourado no treinamento superior da sabedoria.

Os ensinamentos de Buda sobre a sabedoria são apresentados nos textos do primeiro giro da "Roda do Dharma", inseridos na estrutura dos "Trinta e sete aspectos do caminho para a iluminação".[2]

Nos ensinamentos do segundo giro da "Roda do Dharma", aplica-se grande ênfase em dois pontos essenciais de prática: o primeiro é o *bodhicitta*, a geração da mente altruísta do despertar – isto é, a intenção de alcançar a natureza búdica para o benefício de um infinito número de seres sencientes – que é o ponto central do capítulo posterior, que trata do texto **As oito estrofes para o treinamento da mente**, de Langri Thangpa. O segundo ponto de prática essencial é o cultivo de uma profunda percepção sobre a natureza suprema da realidade. Ele se refere ao cultivo de uma compreensão mais profunda da terceira nobre verdade – a verdade sobre a cessação do sofrimento. A verdadeira natureza da cessação refere-se à cessação das emoções e pensamentos aflitivos, que podemos alcançar ao aplicarmos os antídotos ou remédios adequados.

Para podermos verdadeiramente entender a cessação do sofrimento, precisamos primeiro reconhecer o que origina nossas aflições mentais e emocionais e, então, aprender a discernir que estados mentais agem como antídotos diretos sobre elas. Além do mais, devemos investigar se esses pensamentos e emoções mentais aflitivos têm fundamento válido e se existe uma verdadeira possibilidade de extirpá-los de nosso *continuum* mental. Em suma, os ensinamentos do segundo giro da roda podem ser encarados como a representação de elaborações adicionais sobre temas apresentados no primeiro giro da roda, especialmente no que se refere às terceira e quarta nobres verdades – a verdade da cessação e a verdade do caminho que conduz à cessação.

Quanto ao terceiro giro da "Roda do Dharma", um texto essencial e definitivo que se insere nessa categoria é a **Essência da natureza búdica** (*Tathagatagarbha Sutra*), que é o principal texto a dar origem à conhecida obra de *Maitreya*, **O sublime continuum** (*Uttaratantra*), no qual encontramos uma abrangente discussão sobre a natureza absoluta da mente. Os ensinamentos desse giro da roda demonstram uma profunda compreensão da quarta nobre verdade, a verdade do caminho que conduz à cessação.

Esses ensinamentos ajudam a aprofundar nosso conhecimento sobre o vazio da mente em oposição ao vazio dos objetos externos como vasos, pilares e outros. Embora tanto a mente quanto os objetos externos sejam vazios por natureza, existe uma imensa diferença no que se refere ao impacto que exerce a compreensão desse vazio, pois, quando analisamos a natureza absoluta da mente com cuidado, constatamos não só que ela é vazia – isto é, destituída de uma realidade intrínseca –, mas também naturalmente iluminada. Tal fato nos leva a compreender que todas as aflições mentais que poluem a mente, como o apego e a raiva, são, em princípio, separáveis da mente. Isso indica que essas aflições da mente são, de certa forma, casuais. Como esses poluentes podem ser separados ou removidos da mente, juntos não têm condições de formar sua natureza essencial. Ao contrário, a natureza essencial da mente se encontra no potencial para a natureza búdica, que é inerente a todos nós. Assim sendo, conforme ressalta *Maitreya*, as várias aflições da mente são separáveis de sua natureza essencial, enquanto o potencial para a perfeição da iluminação, a realização da onisciência e a perfeição de muitas das qualidades iluminadas da natureza búdica encontram-se naturalmente na forma de uma semente na própria mente, que todos possuímos. Essa semente ou potencial é citado nos textos budistas como sendo a natureza budista ou sua essência. Essas qualidades de Buda não são algo que devemos cultivar a partir de nosso exterior; devemos, sim, cultivar a semente ou o potencial que existe naturalmente em todos nós. Nossa tarefa como aspirantes à natureza búdica é ativar e aperfeiçoar esse potencial de despertar total

3 As oito estrofes para o treinamento da mente

APESAR DE TODO O PROGRESSO MATERIAL OCORRIDO NO SÉCULO PASSADO E NO ATUAL, ainda experimentamos sofrimentos, especialmente no que se refere ao bem-estar mental. Na verdade, o complexo meio de vida criado pela modernização e globalização está gerando novos problemas e novas causas de perturbação mental. Nessas circunstâncias, acho que as várias tradições religiosas têm um importante papel a desempenhar para ajudar a manter a paz, o espírito de reconciliação e o diálogo. Por esse motivo, é essencial haver harmonia e contato íntimo entre elas. Quer sejamos ou não religiosos, pertencendo ou não a um grupo religioso, quer adotemos essa ou aquela crença, devemos respeitar todas as tradições. Isso é muito importante.

Sempre digo às pessoas de países não budistas que seguidores de outras religiões devem manter a própria tradição. Não é fácil mudar de religião, e as pessoas podem enfrentar problemas gerados pela confusão. Assim sendo, é muito mais seguro conservar a própria tradição, ao mesmo tempo que se respeitam todas as religiões. Sou budista – às vezes, eu me descrevo como um budista entusiasmado – mas, ao mesmo tempo, respeito e admiro as obras de personalidades de outras tradições, como Jesus Cristo. Basicamente, todas as tradições religiosas deram uma imensa contribuição para a humanidade e continuam a fazê-lo, e, como tal, são merecedores de nosso respeito e admiração.

Quando contemplamos a variedade de tradições espirituais existentes neste planeta, podemos compreender que cada uma delas trata das necessidades específicas de diferentes seres humanos, devido à enorme diversidade que ocorre na mentalidade e inclinação espiritual humana. No entanto, fundamentalmente, todas as tradições espirituais desempenham a mesma função, que é a de auxiliar-nos a domar nosso estado mental, superar nossas negatividades e aperfeiçoar nosso potencial interior.

Quando contemplamos a variedade de tradições espirituais existentes neste planeta, podemos compreender que cada uma delas trata das necessidades específicas de diferentes seres humanos.

No caso do budismo, houve a evolução de escolas filosóficas historicamente diversas, como a *Vaibhashika*, a *Svantantrika*, a *Cittamatra* e a *Madhyamika*. Essas escolas defendem doutrinas não apenas diferentes, mas, muitas vezes, contraditórias, o que gera vigorosos debates entre seus proponentes, no entanto todas seguem o mesmo mestre, Buda Shakyamuni, e citam fontes de escrituras oficiais a fim de validar a compreensão de seus ensinamentos. Para nós, budistas, isso mostra a imensa importância que o próprio Buda deu ao reconhecimento da diversidade das necessidades, inclinações e disposições mentais entre seus seguidores, o que o levou a dar maior prioridade às suas necessidades do que apresentar um ponto de vista doutrinal unificado pelas questões críticas. Dessa situação, podemos extrair a lição de que o principal ponto dos ensinamentos espirituais é sua adequação às necessidades de circunstâncias individuais.

Historicamente, duas importantes fontes de linhagem escritural se desenvolveram entre os seguidores dos ensinamentos de Buda na Índia: uma delas, baseada nos textos canônicos no idioma pali, conhecidos como Cânon Palim; a outra tendo o sânscrito como idioma principal. Os grandes mestres da universidade monástica de Nalanda, na antiga Índia, estudaram e praticaram ambas as tradições. Acredito que o budismo tibetano herdou e desenvolveu a rica tradição de Nalanda. Estudiosos proeminentes e extremamente cultos de Nalanda foram os responsáveis por plantar as sementes do budismo no Tibet; e especialmente durante o período que, mais tarde, passou a ser conhecido como a segunda fase da disseminação do budismo nesse país, o grande mestre de Nalanda, Atisha Dipankara, fez imensas contribuições ao budismo no Tibet. O que quero dizer quando afirmo que o budismo tibetano herdou a tradição de Nalanda? Nessa tradição, todos os principais elementos de sua doutrina são entendidos em função de dois elementos básicos: um deles se relaciona ao aperfeiçoamento e cultivo da sabedoria ou da percepção sobre a natureza absoluta da realidade; o outro abrange todos os ensinamentos referentes ao cultivo de meios hábeis. Nesse contexto, o termo "meios hábeis" refere-se a fatores como o desenvolvimento da compaixão, o cultivo da aspiração altruísta do estado de ser do budismo para benefício de todos os seres, entre outros – sendo essas práticas espirituais associadas principalmente à verdade convencional. Como introdução às práticas dos fatores de sabedoria e meios hábeis, cultivamos um intenso sentimento de renúncia originado de um profundo desencanto com as preocupações e atividades de uma existência mundana.

A tradição budista Nalanda foi firmemente implantada no Tibet por Atisha. Entre seus discípulos, encontrava-se o mestre tibetano Dromtönpa, fundador do que é conhecido como a escola *Kadam*. A linhagem *Kadam* foi herdada por um discípulo de Dromtönpa, *Geshe* Potowa que, por sua vez, teve dois discípulos importantes, Sharawa e Langri Thangpa, este último autor de **As oito estrofes para o treinamento da mente**. Essa obra tornou-se extremamente popular no Tibet, em todas as escolas de budismo tibetano, como um dos principais pontos de ensinamento e prática. É esse breve texto sobre treinamento da mente que leremos em conjunto.

Cultivando a sabedoria e os meios hábeis

Resumindo, o breve texto intitulado **As oito estrofes para o treinamento da mente** apresenta as práticas para o cultivo do *bodhicitta* convencional ou a aspiração altruísta para alcançar o estado de ser do budismo para benefício de todos os seres, assim como o *bodhicitta* absoluto, a profunda compreensão da natureza absoluta da realidade ou "a mente absoluta da iluminação". As sete primeiras estrofes apresentam as práticas relativas às anteriores, enquanto a última apresenta as práticas relativas à mente absoluta do despertar.

Em sua obra clássica sobre a filosofia do caminho do meio, **Suplemento ao caminho do meio**, o mestre budista indiano Chandrakirti compara as verdades convencionais e absolutas às duas asas que o pássaro usa para voar pelo céu. Da mesma forma, ele sugere, podemos atravessar a vasta extensão da realidade utilizando essas duas mentes do despertar. Segundo ele, o objetivo máximo de um religioso budista é alcançar o estado de ser do budismo, que é a personificação de duas perfeições – o corpo da verdade (*dharmakaya)* e o corpo da forma (*rupakaya*) –, e é por meio da união das mentes do despertar que podemos atingir esse estado de perfeição.

A verdadeira base do *dharmakaya* (o corpo da verdade de Buda) é sua mente de sabedoria. Ela é descrita nos textos como um estado mental onisciente, dotado de um caráter duplo de uma profunda percepção da natureza absoluta da realidade de todas as coisas e, ao mesmo tempo, percebe a diversidade da realidade convencional em sua totalidade. Como essa é a natureza do *dharmakaya*, o caminho que conduz à sua realização deve possuir características que correspondam a esse objetivo absoluto. Tal caminho é o cultivo sustentado da compreensão do vazio, que nos possibilita transcender todas as limitações da elaboração conceitual.

A segunda personificação da iluminação de Buda é o *rupakaya* ou seu corpo da forma, por meio do qual ele assume diversas formas, a fim de ser útil aos seres sencientes. O principal caminho que expressa características correspondentes a esse aspecto da iluminação de Buda é o cultivo do *bodhicitta*, a intenção altruísta de alcançar o estado de ser do budismo para benefício de um infinito número de seres sencientes. Essa intenção altruísta deve ser baseada em intensa compaixão que aspire a libertar todos os seres do sofrimento. Com essa intenção altruísta como motivadora, dedicamo-nos à prática das seis perfeições.[3] A combinação desses dois fatores do caminho – os meios hábeis, como o *bodhicitta* e a compaixão, e o aspecto da sabedoria, que exige principalmente que se cultive a percepção do vazio – leva à realização de nosso objetivo espiritual absoluto, ou seja, a obtenção do estado de ser do budismo.

É crucial que esses dois aspectos do caminho sejam adequadamente combinados, visto que se complementam e se reforçam mutuamente. Por exemplo, aprofundar nossa compreensão do vazio tem o imenso poder de intensificar nosso sentimento de empatia em relação a outros seres sencientes semelhantes a nós e, dessa forma, produzir uma compaixão mais intensa; igualmente, intensificar a compaixão pode apressar nossa acumulação de mérito, o que nos facilita aprofundar a compreensão do vazio. Assim, podemos ver como esses dois aspectos do caminho se complementam.

No budismo, quando falamos de atingir níveis cada vez mais profundos de realização espiritual, também nos referimos a uma superação progressiva correspondente dos vários níveis de obscurecimento ou aviltamento mental. Nos estágios iniciais, as práticas espirituais nos permitem sobrepujar temporariamente os impulsos negativos e, dessa forma, ajudar a reduzir sua força; por fim, por meio de uma prática sustentada, podemos eliminar esses aviltamentos por completo. O processo de superar nossos aviltamentos é acompanhado pela obtenção de níveis mais elevados de realização. Na verdade, quando falamos de atingir níveis de realização mais elevados no budismo, estamos nos referindo principalmente aos processos pelos quais nossa sabedoria e compreensão se aprofundam. Afinal, é o aspecto referente à sabedoria que possibilita ao praticante passar de um nível ao próximo, no caminho. Falamos de cinco níveis no caminho: o caminho da acumulação, o da preparação, o da compreensão, o da meditação e o do não aprender.

Nos estágios iniciais, as práticas espirituais nos permitem sobrepujar temporariamente os impulsos negativos e, dessa forma, ajudar a reduzir sua força.

O processo de atingir esses níveis do caminho é explicado em forma condensada no **Sutra do coração**, onde encontramos o mantra *TADYATHA OM GATE GATE PARAGATE PARASAMGATE BODHI SVAHA*. *Tadyatha* significa "É assim"; *gate gate* significa "avance, avance"; *paragate* significa "vá adiante e transcenda"; *parasamgate* significa "vá diretamente adiante"; e *bodhi svaha* significa "firmemente enraizado na iluminação".

Esse mantra do **Sutra do coração** abrange a progressão do praticante em termos dos cinco níveis do caminho. "Avance, avance" (*gate, gate*) refere-se à realização do caminho da acumulação e do caminho da preparação; "vá adiante" (*paragate*) refere-se à realização do caminho da compreensão e sugere que, quando o atingirmos, ou seja, a compreensão direta do vazio, transcenderemos o estado da existência comum e nos tornaremos o que é conhecido como um *arya* ou "ser nobre". A metáfora de "vá além" sugere que se atravesse para a outra margem, quando o próprio estado comum é compreendido nesse lado da margem. A outra margem é o *nirvana* ou o estado de libertação. Ao atingir o caminho da compreensão, já ultrapassamos o estado comum da existência cíclica. A próxima frase do mantra, "vá diretamente adiante" (*parasamgate*), implica a realização do caminho da meditação. Essencialmente, esse é um estado em que a compreensão direta obtida aprofundou-se ainda mais por meio de constante familiaridade e culmina com a realização da iluminação ou transcendência total.

Com isso, quero dizer que todo o processo de diferentes níveis de realização, que culmina com a conquista do estado de ser do budismo, é compreendido num contexto budista como um processo que alia os aspectos do método e da sabedoria do caminho. A totalidade dos ensinamentos e práticas de Buda é personificada por esses dois aspectos que são conhecidos como as duas acumulações: a acumulação do mérito e a acumulação da sabedoria. Esses dois aspectos podem ser compreendidos em termos de como nós nos relacionamos com o mundo e participamos dele. Por exemplo, se nosso envolvimento com o mundo ocorre no nível da diversidade das coisas, acontecimentos e objetos, esse é o aspecto do método do caminho; quando nos envolvemos no mundo em termos da natureza mais profunda da realidade, que é entendida como o vazio de todas as coisas e acontecimentos, essa prática pertence ao cultivo da sabedoria. Portanto, o que é essa profunda compreensão do vazio que tentamos realizar por meio do aspecto de sabedoria do caminho? Em seu texto **Fundamentos do caminho do meio**, Nagarjuna escreve:

> O que for gerado na dependência
> é explicado como o vazio.
> Isso é designado na dependência
> e é o verdadeiro caminho do meio.[4]

A verdadeira compreensão do vazio, segundo a escola do caminho do meio, baseia-se no entendimento da geração dependente. Em outras palavras, a geração dependente deve ser compreendida como o verdadeiro fundamento sobre o qual surge o vazio. Historicamente, no que concerne à compreensão dos ensinamentos de Nagarjuna sobre o vazio, houve a evolução de duas linhagens de interpretação, uma representada por Bhavaviveka e seus seguidores, e a outra, por Buddhapalita, Chandrakirti e seus seguidores.

Buddhapalita explica que, quando analisamos fatos e acontecimentos, principalmente o mundo de causas e efeitos e a pluralidade de nossa experiência cotidiana, estamos nos relacionando com o mundo no nível convencional da realidade. Se, porém, estivermos insatisfeitos com esse nível de realidade cotidiana e a ultrapassarmos a fim de averiguar com uma visão crítica quais são a exata natureza e o relacionamento de causas e efeitos, e analisarmos se são idênticos ou independentes, poderemos, então, nos relacionar com o mundo no nível da verdade absoluta. Buddhapalita explica que, quando sujeitamos criticamente causa e efeito a esse tipo de questionamento perspicaz, logo chegamos à conclusão de que é impossível encontrá-los. Nenhum conceito, seja de causa ou efeito, geração e cessão ou quaisquer outros, pode resistir a esse tipo de análise crítica. Conseqüentemente, quando participamos do mundo, devemos fazê-lo no nível da verdade convencional ou da realidade cotidiana.

Se estivermos insatisfeitos com esse nível de realidade cotidiana e a ultrapassarmos a fim de averiguar causas e efeitos, poderemos, então, nos relacionar com o mundo no nível da verdade absoluta.

De forma semelhante, em seu **Suplemento ao caminho do meio**, Chandrakirti explica que uma verdadeira compreensão do vazio impõe uma avaliação mais profunda da natureza interdependente da realidade, que todas as coisas e acontecimentos nascem como resultado da dependência de outros fatores. Ao reconhecermos esse fato, concluímos que as coisas e acontecimentos são destituídos de existência inerente. E, à medida que aprofundamos nossa convicção sobre as leis e a operação de causa e efeito na esfera do nível convencional da realidade, aperfeiçoamos a prática da acumulação de mérito. Enquanto aprofundamos gradativamente a convicção quanto à verdade dos ensinamentos sobre o vazio, especialmente o vazio como ausência da existência inerente, somos capazes de cultivar a acumulação da sabedoria. Essas duas práticas são conhecidas como as duas acumulações citadas anteriormente.

Tomando uma nova resolução espiritual

Em termos da verdade convencional, todos nós possuímos naturalmente tanto o desejo quanto o potencial de superar o sofrimento e alcançar a felicidade. Nesse contexto, podemos refletir sobre os ensinamentos de Buda sobre as "Quatro nobres verdades" e as "Duas verdades" e, com base nessa reflexão, desenvolver gradativamente a compreensão de como podemos nos libertar do sofrimento e atingir o potencial que existe em nós para realizar tal meta. Podemos nos entregar ainda a outras reflexões: "Assim como eu, todos os outros seres sencientes possuem o mesmo desejo e potencial para serem felizes e superarem o sofrimento" e nos perguntar: "Se eu continuar a ser guiado por meu egoísmo e pela preocupação exclusiva com meu bem-estar e a ignorar o bem-estar dos outros, que conseqüências sofrerei?"

E, então, podemos refletir: "Desde sempre, tenho nutrido uma atitude voltada para a autopreservação e assimilei o conceito de um ego intrinsecamente real e duradouro. Alimentei esses dois pensamentos de autopreservação e assimilação em meu coração como se fossem jóias gêmeas. Contudo, para onde me levou esse modo de ser? Ao perseguir as imposições dessa assimilação e desse egocentrismo, consegui realmente atingir a realização de meu próprio interesse? Se isso fosse possível, certamente agora eu teria atingido minha meta. Mas sei que isso não ocorreu."

Devemos, então, comparar-nos a seres iluminados, como Buda Shakyamuni, que conquistou vitória total sobre todos os aviltamentos e aperfeiçoou todas as características da generosidade. Devemos, também, nos perguntar: "Como Buda conseguiu?" Através da contemplação, reconheceremos que, em certo ponto de sua existência, Buda reverteu o modo normal de pensar e ser. Em vez da autopreservação, ele cultivou o pensamento de valorizar o bem-estar de outros seres sencientes e, em vez de conservar a compreensão dos fatos para si mesmo, ele cultivou a sabedoria ao perceber a ausência da existência do eu. Dessa forma, ele atingiu o despertar total.

Em seu **Guia para o modo de vida do *bodhisattva***, Shantideva escreve:

> O que mais há para ser dito?
> Compare as diferenças entre os dois:
> O ser infantil que busca os próprios interesses,
> E o ser capaz, que busca o bem-estar dos outros.[5]

Com essas reflexões, podemos desenvolver uma firme decisão de cultivar um novo modo de pensar e ser, assim como Buda.

Estrofe 1

> *Com determinação para atingir o mais elevado objetivo,*
> *Para benefício de todos os seres sencientes,*
> *A quem superar até mesmo a desejável jóia*
> *Poderei amá-lo em todos os momentos.* [6]

A versão original desse último verso não foi escrita como inspiração, mas como uma declaração quanto a uma resolução, portanto, em vez de "Poderei amá-lo em todos os momentos", lê-se: "Sempre o amarei". Contudo, mais tarde, ele se transformou em um tipo de aspiração. Como disse anteriormente, normalmente ficamos preocupados, obcecados, na verdade, com nosso próprio bem-estar e esquecemos totalmente o bem-estar dos outros. Quando pensamos nos "outros", nós os ignoramos por completo ou, simplesmente, não demonstramos nenhum interesse; na pior das hipóteses, estamos até preparados para explorá-los para atingir nossos objetivos. O autor de nosso texto sugere que essa é a abordagem inadequada para os praticantes espirituais; devemos tentar reverter tal atitude, de modo a considerarmos os demais seres sencientes como preciosos, como jóias desejadas, e nos relacionarmos com eles, venerando-os e reconhecendo sua bondade.

Normalmente ficamos preocupados, obcecados, na verdade, com nosso próprio bem-estar e esquecemos totalmente o bem-estar dos outros.

A questão de todos os seres sencientes serem semelhantes a uma jóia que se deseja oferecer é explicada da seguinte forma: do ponto de vista budista, mesmo renascer nas mais elevadas esferas depende de nossa interação com outros seres sencientes. O principal fator para obter tal conquista é a observação da disciplina ética de se abster das dez ações negativas do corpo, fala e mente.[7] Por exemplo, é impossível manter a disciplina ética do primeiro dos dez preceitos de restrições – abster-se de matar – sem a presença de outros seres sencientes; por motivos óbvios, isso ocorre porque assassinatos acontecem quando um indivíduo tira a vida de outro. Assim sendo, a verdadeira disciplina ética de abster-se de matar só pode ocorrer quando um indivíduo se vê diante da oportunidade de tirar a vida de outro e, mesmo assim, a evita intencionalmente. O mesmo se aplica a todas as ações éticas, como não contar mentiras, não roubar, etc., em que a presença de outros seres sencientes é essencial. Além disso, muitas das características de nossa existência atual, como nossa aparência física, longevidade, o fato de nossas palavras carregarem certo peso e de as pessoas as considerarem confiáveis, entre outros, são consideradas frutos de ações éticas positivas do passado.

Certamente, em relação à conquista da libertação da existência cíclica, que também é conhecida como "bondade definitiva", o papel de outros seres sencientes é indispensável. Segundo a visão budista, as principais práticas espirituais que conduzem à obtenção da libertação são os três treinamentos superiores – treinamento superior em moralidade, em meditação e sabedoria. Os últimos dois são baseados na fundação do primeiro, isto é, o treinamento da moralidade. Como afirmei anteriormente, a presença de outros seres sencientes é indispensável para tal treinamento. É dessa forma que atingimos a poderosa realização de que o papel de outros seres sencientes é essencial em todas as áreas de nossas atividades e aspirações mundanas e espirituais.

Especialmente para praticantes do *bodhicitta,* ou seja, a intenção altruísta, conhecidos como *bodhisattvas*, é necessário primeiro cultivar a compaixão e a afetuosa generosidade para com todos os seres sencientes. A compaixão é o desejo de que todos os seres sencientes se livrem do sofrimento, e a afetuosa generosidade refere-se ao estado mental que almeja que todos os seres sencientes usufruam a felicidade. Assim, mais uma vez o foco se encontra nos outros seres sencientes. Com base nesses dois estados mentais, cultivamos em nosso interior essa atitude extremamente admirável e incomparável do *bodhicitta*. Quando refletimos sobre esses versos, reconhecemos o significado de encarar outros seres sencientes como se eles fossem tão preciosos quanto "uma jóia desejada". Na versão tibetana original, a primeira estrofe abre com o pronome pessoal "eu", que é quem mostra o desejo de trabalhar para o benefício de todos os seres sencientes.

O foco se encontra nos outros seres sencientes.

Investigações sobre a natureza de nossa identidade pessoal e esse "eu" foram o principal objeto de indagações filosóficas na antiga Índia. É desnecessário dizer que nossas próprias experiências validam nossa existência pessoal. É com base na existência desse "eu" ou "ego" que firmamos conceitos de uma existência não iluminada e a possibilidade de atingir a iluminação. A próxima questão, então, é: "Em que sentido existe esse "ego" ou "eu"? Todos nós possuímos um sentido instintivo do "eu"; temos a noção do "eu sou", "eu estou fazendo tal coisa", "eu estou aqui" e assim por diante. Mas, se procurarmos o local exato desse "eu" em nosso corpo e mente, poderemos realmente encontrá-lo?

Alguns filósofos indianos, reconhecendo que nossos componentes mentais e físicos, que, reunidos, formam nossa existência pessoal, são transientes e sujeitos a mudanças e a deterioração, sentiram a necessidade de admitir a realidade de um "eu" independente do corpo e da mente. Assim sendo, eles afirmaram que nosso verdadeiro "eu" é um princípio eterno com existência independente do corpo e da mente e dotado de características imutáveis e unitárias. Concluíram que, se o "eu" se identificasse com o corpo e a mente, tal fato contradiria a intuição natural em relação à percepção que temos desse eu. Conforme ressalta Dharmakirti em sua **Exposição da cognição válida**, se tivéssemos a oportunidade de trocar nosso corpo físico imperfeito por outro perfeito, pertencente a um ser celestial, estaríamos sinceramente dispostos a fazer tal troca. Isso indica que, mesmo em nossa intuição inata sobre o "eu", não nos identificamos totalmente com nosso corpo, pois, se o fizéssemos, essa disposição instintiva e sincera de proceder a tal troca não faria sentido. De modo geral, as escolas de pensamento budista rejeitam qualquer noção do "eu" como um princípio eterno com existência independente do corpo e da mente, entretanto as várias escolas budistas divergem quanto à verdadeira identidade do "eu". Por exemplo, algumas são de opinião que o "eu" deve se identificar com os componentes físicos ou mentais do indivíduo. Visto que o *continuum* do corpo é mais denso do que o dos fenômenos mentais, diferentes escolas realizaram várias tentativas para identificar o "eu" em função do *continuum* ou dos fenômenos mentais. Uma escola de pensamento budista rejeita o conceito da existência intrínseca ou inerente, mesmo num nível convencional; segundo essa linha de pensamento, entende-se que a "pessoa" é uma mera denominação, designação ou nome e é um conceito imputado com base no conjunto dos componentes físicos e mentais.

Mesmo em nossa intuição inata sobre o "eu", não nos identificamos totalmente com nosso corpo.

Todas essas diferentes escolas budistas citam uma passagem das escrituras budistas que afirma:

Assim como damos o nome de carruagem a um objeto
Devido a seu conjunto de peças,
Da mesma forma rotulamos convencionalmente o "ser senciente"
De acordo com a união de suas partes.[8]

A interpretação dessa passagem varia nas diferentes escolas; por um lado, algumas delas sentiram a necessidade de considerar a existência de uma natureza intrínseca, ou realidade objetiva, no que se refere a coisas e acontecimentos, com base no fato de que as nossas experiências parecem ratificar a realidade do mundo em que vivemos e a realidade de nossas sensações de dor e prazer. Essas escolas afirmam que, embora o "eu" seja um conceito designado devido à união de elementos físicos ou mentais, quando procuramos o verdadeiro referencial do pronome da primeira pessoa "eu", devemos encontrar uma base que desfrute de maior grau de realidade. Elas dizem que essa base ou entidade é o *continuum* da consciência, que é o verdadeiro referencial quando empregamos o pronome da primeira pessoa "eu" e quando pensamos em "eu sou". Por essa razão, elas defendem que o *continuum* da consciência possui um grau de realidade maior do que os conceitos referentes ao "eu". Assim sendo, segundo a interpretação desses pensadores budistas, a passagem de Buda citada acima transmite a idéia de que a existência do "eu" deve ser compreendida com base em nossos elementos físicos e mentais.

Outros pensadores budistas, como Chandrakirti, rejeitam a idéia de que o pronome da primeira pessoa "eu" possui um referencial objetivamente real e com uma natureza intrínseca. Eles são de opinião que a compreensão da existência de todas as coisas e acontecimentos não passa do produto da condicionalidade, isto é, sua realidade só pode ser percebida como gerações totalmente dependentes, originadas da agregação de causas e condições. Para esses pensadores budistas, toda a existência somente é um conceito, rótulo, nome ou denominação.

Talvez agora vocês comecem a se perguntar, se todos esses filósofos concordam com a existência do "eu" – sem levar em conta seus pontos de vista divergentes sobre como isso realmente ocorre –, qual é o sentido de envolverem-se nessas análises extremamente complexas? Talvez vocês achem que, independentemente de as pessoas acreditarem ou não na existência inerente do "eu", elas ainda podem participar de práticas éticas e abster-se de cometer ações negativas e envolver-se em ações positivas. Aqui, num contexto budista, acredito ser importante compreender um pouco o significado de se cultivar a idéia do vazio. Nos **Quatrocentos versos sobre o caminho do meio**, Aryadeva ressalta que, assim como a faculdade do corpo permeia todas as demais faculdades dos sentidos, como os olhos, ouvidos, etc., a ilusão também sustenta todos os pensamentos e emoções aflitivos. Conseqüentemente, somente poderemos minorar o surgimento das aflições dos pensamentos e emoções que causam nosso sofrimento se banirmos a ilusão. De forma semelhante, em sua obra **Ingressando no caminho do meio,** Chandrakirti afirma:

> Com sua inteligência, os iogues verão que todas as imperfeições,
> Assim como as aflições, nascem de uma visão egoísta;
> Eles, então, reconhecerão que o "eu" é seu objeto de preocupação.
> Assim, o iogue irá lutar para negar essa individualidade.[9]

Essas citações deixam claro que a origem do sofrimento reside na compreensão equivocada de que o "eu" e o mundo possuem algum tipo de realidade duradoura, que sustenta todas as nossas perturbações mentais e emocionais. Assim, se realmente desejarmos superar o sofrimento, devemos atacar a raiz do problema de alguma forma. Isso não é algo que se possa simplesmente almejar, tampouco é conquistado por meio de orações: "Que essa 'autocompreensão' desapareça de minha mente!" Também não é algo a ser obtido com o repicar de sinos e soar de tambores ou com a realização de rituais que atraiam a atenção. Esse processo somente pode ser realizado por meio do cultivo de uma verdadeira compreensão sobre como as coisas realmente são, uma compreensão que se oponha diretamente à forma como nossa ignorância fundamental interpreta mal a realidade.

Em outras palavras, somente poderemos começar a eliminar as tendências de autocompreensão quando enxergarmos através da percepção equivocada que temos da realidade. Por exemplo, se antes de entrar neste recinto de conferências vocês tivessem se convencido de que aqui dentro há um elefante perigoso e, conseqüentemente, tivessem sentido medo e apreensão, seus receios somente seriam afastados se constatassem por si mesmos que o elefante não existe. Da mesma forma, ver o vazio das coisas e dos acontecimentos nos permite eliminar a compreensão equivocada sobre eles – inclusive o nosso próprio "eu" – de que possuem algum tipo de realidade intrínseca e independente.

Estrofe 2

Que sempre que interajo com alguém
Eu possa me ver como o mais humilde de todos,
E, das profundezas de meu coração,
Respeitosamente considerar os outros como superiores.

As práticas apresentadas nessa estrofe relacionam-se diretamente com a primeira, na qual aprendemos a cultivar a atitude de encarar todos os seres sencientes como mais preciosos do que uma jóia desejada. Aqui, o autor nos instrui a cultivar essa atitude, ao mesmo tempo que conservamos um profundo respeito por todos os seres sencientes. Em outras palavras, não devemos alimentar um sentimento de superioridade e pensar que estamos cultivando uma compaixão e uma generosidade afetuosa em relação a todos os demais seres que sofrem. Em vez disso, devemos nos relacionar com eles com respeito e reverência; na verdade, ao interagirmos com eles, devemos nos considerar realmente inferiores de alguma maneira.

Esse ensinamento relaciona-se a um ponto importante que afirma que a presunção é um dos principais obstáculos à prática da compaixão e do *bodhicitta*, a mente altruísta do despertar; qualquer sentimento de presunção ou vaidade impede que se cultive uma intenção altruísta genuína, e o remédio mais eficaz para esse mal é o cultivo da humildade. Se observarmos os exemplos dos grandes mestres *Kadampa*, como Dromtönpa, constataremos que suas vidas demonstram a importância da prática da humildade. Eles criam o exemplo ideal de como, ao nos relacionarmos com as pessoas, devemos considerá-las objetos de veneração.

Posso contar-lhes uma história mais recente, a fim de ilustrar essa questão. O grande meditador tibetano *dzokchen* do século 19 Dza Patrul Rinpoche sempre adotou uma conduta de verdadeira humildade. Certa vez, quando dava uma série de aulas a um grande grupo de estudantes, ele experimentou uma intensa necessidade de solidão. Assim, um dia, ele deixou sua residência em silêncio e desapareceu, vestido como um peregrino comum e carregando pouco mais que uma bengala. Ao atingir um acampamento nômade, pediu abrigo por alguns dias para uma das famílias. Enquanto permanecia com ela, sua anfitriã pediu-lhe para ler alguns textos e, como ele parecia apenas um peregrino comum, em troca de pousada e alimento, pediu-lhe para ajudá-la nas tarefas domésticas, que incluíam a remoção do urinol. Certo dia, enquanto se afastou do acampamento a fim de cumprir sua tarefa, alguns monges bem vestidos, seus alunos, vieram procurá-lo. Ao ouvir sua descrição, a anfitriã compreendeu, de repente, que aquela era a mesma pessoa a quem pedira para jogar fora o conteúdo de seu urinol. Conta-se que ela ficou de tal modo constrangida que simplesmente saiu correndo. Tal era a humildade desse grande mestre que possuía milhares de alunos.

No entanto, esses admiráveis praticantes da intenção altruísta possuem uma tremenda coragem enraizada numa verdadeira força interior. Por exemplo, o principal aluno de Atisha, Dromtönpa, era o epítome da humildade e um homem muito compassivo, entretanto ele sabia dizer não e ser firme, mesmo em relação a seu mestre. Se acontecia de Atisha dizer o que pensava um tanto espontaneamente, Dromtönpa não hesitava em adverti-lo. Diz-se mesmo que, certa feita, Atisha se queixou ao aluno, dizendo: "Se não posso fazer isso ou aquilo, por que estou aqui no Tibet? Talvez eu deva voltar para a Índia". Essa combinação de total ausência de presunção e profunda coragem é o que se exige de um verdadeiro praticante do *bodhicitta*, a mente altruísta do despertar.

Estrofe 3

Que eu possa, em todas as minhas ações, perscrutar a mente,
E, quando surgirem aflições mentais e emocionais
Que representem perigo para mim e para os outros,
Que eu possa confrontá-las com firmeza e afastá-las.

Essa estrofe ressalta a importância de lidar com as próprias aflições mentais. Embora nosso objetivo máximo seja eliminar os obscurecimentos da mente (especialmente a autocompreensão), que nos impedem de alcançar o verdadeiro entendimento sobre como as coisas realmente são, não podemos atingir tal meta sem superar as emoções e os pensamentos aflitivos. Da mesma maneira, embora nosso principal objetivo seja ajudar outros seres sencientes a domar suas mentes, não podemos alcançar esse objetivo sem primeiro domar nossa própria mente. Assim sendo, essa estrofe nos mostra como tentar resolver nossas aflições mentais e emocionais, aplicando os antídotos apropriados. Por exemplo, quando observamos nossos próprios processos mentais e detectamos os primeiros sinais da aproximação de ódio ou raiva, devemos cultivar intencionalmente uma afetuosa generosidade e compaixão, a fim de reduzir o poder desses pensamentos negativos. Da mesma forma, quando começam a surgir sentimentos intensos de apego, podemos combatê-los ao cultivar práticas de desapego, como refletir sobre as impurezas da existência corporal. Quando detectamos os primeiros sinais do surgimento da presunção ou vaidade, podemos combatê-los refletindo sobre nossas próprias fraquezas e nos ensinamentos de Buda sobre os "Doze elos da geração dependente", entre outros.[10] Da mesma forma, devemos neutralizar os primeiros sinais de inveja ou ciúme, cultivando um senso de admiração pelas realizações de terceiros, e nos alegrar com seu sucesso e prosperidade. É assim que se treina a mente: primeiro, observamos nossos processos de pensamento interno com atenção e, assim que percebemos os sinais do surgimento de aflições, aplicamos o remédio ou antídoto adequado.

Os textos budistas descrevem dois tipos de antídoto: um grupo abrange os que são eficazes para superar temporariamente aflições relevantes, como a prática da bondade afetuosa, para se opor ao ódio, e o cultivo do júbilo e admiração, para combater a inveja, como citado anteriormente; o outro grupo consiste nos que visam à total erradicação das aflições, como o cultivo da compreensão do vazio, que acaba ajudando a eliminar as aflições pela raiz.

Primeiro, observamos nossos processos de pensamento interno com atenção e, assim que percebemos sinais de aflições, aplicamos o remédio ou antídoto adequado.

Estrofe 4

Quando vejo seres de personalidade difícil,
Oprimidos por intensa negatividade e sofrimento,
Espero poder amá-los, pois são difíceis de encontrar;
É como descobrir um tesouro precioso!

A expressão "seres de personalidade difícil" refere-se a pessoas irritáveis e com fortes tendências para atitudes negativas, e a expressão "oprimidos por intensa negatividade e sofrimento" refere-se, em especial, aos seres com problemas e doenças que os fazem ser rejeitados pela sociedade. No mundo atual, a última categoria inclui pessoas com doenças, como a AIDS. Os praticantes do *bodhicitta*, a mente altruísta do despertar, devem dar atenção especial a esses seres sencientes e cultivar um verdadeiro sentimento de empatia por eles. Como praticantes do *bodhicitta*, em vez de rejeitá-los, devemos recebê-los como se tivéssemos encontrado um tesouro raro e, assim, cultivar um profundo sentimento de proteção e preocupação por eles.

Estrofe 5

Quando, por causa da inveja, as pessoas me tratarem mal,
Com violência, injúrias e escárnio,
Espero poder tomar para mim a derrota
E oferecer a elas a vitória.

Essa estrofe refere-se à necessidade de os praticantes do *bodhicitta* cultivarem uma atitude especial para com os que fazem acusações infundadas contra nós e nos dirigem injúrias e insultos. Ela nos aconselha a prontamente tomar para nós mesmos a derrota e oferecer a vitória a eles, além de avaliar as circunstâncias especiais em que uma abordagem diferente possa ser necessária. O princípio geral que fundamenta esse conselho é o de que os praticantes do *bodhicitta* devem sempre considerar o benefício a longo prazo a ser usufruído pelos outros e, ao mesmo tempo, levar em conta as conseqüências negativas de um determinado curso de ação. Por exemplo, em vez de permitir que alguém continue a se entregar a ações maléficas, que podem ser prejudiciais para esse indivíduo a longo prazo, às vezes, por compaixão, deve-se tomar medidas enérgicas a fim de impedir esses atos negativos. Assim sendo, aceitar a derrota e oferecer a vitória não significa apenas ceder ou reagir com apatia; ao contrário, devemos definir o curso de ação mais adequado em determinada situação. A questão é que os praticantes do *bodhicitta* não devem simplesmente agir motivados por um impulso emocional egoísta e pensar: "Se eu permitir que faça isso, ele irá vencer e eu vou perder e, conseqüentemente, terei que pagar com a mesma moeda". Esse princípio fundamental é tema dos seguintes versos do **Guia para o meio de vida do *bodhisattva***, de Shantideva:

Se falharmos em trocar nossa felicidade
Pelo sofrimento dos outros por completo,
Será impossível alcançar o estado de ser do budismo;
Mesmo na existência cíclica, não haverá alegria.[11]

Estrofe 6

Se alguém a quem ajudei
Ou em quem depositei grandes esperanças
Maltratar-me e magoar-me profundamente,
Espero ainda poder considerá-lo como um precioso mestre.

Segundo normas terrenas de comportamento humano, quando ajudamos alguém e confiamos nele e, em troca, somos maltratados, é considerado justificável zangar-nos por termos sido magoados, entretanto os praticantes do *bodhicitta* não devem ceder a esse tipo de raciocínio convencional. Em vez disso, devemos aprender a encarar tais pessoas de uma forma especial, como objetos de nossa prática de paciência e generosidade afetuosa. Na verdade, devemos reconhecer essas pessoas como nossos mestres espirituais.

Estrofe 7

Resumindo, espero poder oferecer benefícios e alegrias
A todas as minhas mães, direta e indiretamente.
Espero poder tranqüilamente assumir
Todas as dores e sofrimentos de minhas mães.

Essa estrofe mostra, essencialmente, o que conhecemos como a prática do *tonglen*, que literalmente significa "dar e receber". Como mencionei antes, normalmente nossas ações são motivadas por atitudes de autopreservação. Mesmo quando participamos de atividades espirituais, muitas vezes somos motivados principalmente pelas vantagens que elas podem nos trazer. Por exemplo, podemos nos envolver em visualizações meditativas, como as das práticas budistas Vajrayana, com o pretenso motivo de beneficiar terceiros e, no entanto, alimentar o desejo oculto de que elas nos tragam proteção. Em todas as nossas atividades, conservamos a atitude de prezar o próprio "eu" como se ele fosse nosso verdadeiro refúgio, nosso mestre e melhor amigo, e sentimos que o bem-estar dos outros nada tem a ver com o nosso. A prática do *tonglen* de dar e receber reverte esse processo por completo; por meio dessa prática, passamos a reconhecer as desvantagens de alimentar pensamentos de autopreservação e o imenso valor de valorizar o bem-estar de outros seres sencientes. À medida que continuamos com a prática, o tempo nos fará adotar esse novo modo de pensar como um verdadeiro tesouro em nosso coração. Essa prática deve ser complementada na vida diária como uma ajuda real a outros seres sencientes por meio de atos altruístas, como fazer doações para instituições de caridade, visitar doentes, solidarizar-se com quem sofre, etc.

Ao revertermos nosso modo de pensar habitual, tentamos gradativamente reduzir a força de nosso apego ao "eu" e aumentar a força para valorizar o bem-estar dos outros. A maioria das práticas do *tonglen* é inicialmente realizada num nível imaginário, portanto, em **As oito estrofes para o treinamento da mente**, encontramos o verso referente à aspiração "espero poder tranqüilamente assumir todas as dores e sofrimentos de minhas mães". O significado da palavra "tranqüilamente" é explicado nos **Sete pontos do treinamento para a mente**, de Geche Chekawa,[12] outra renomada obra pertencente ao gênero de textos tibetanos para o treinamento da mente. Há um verso nesse texto que diz: "Incorpore os dois à sua respiração". Essa expressão sugere que as duas práticas de "receber" e "dar" devem ser realizadas em conjunto com os movimentos de inspirar e expirar, respectivamente.

Na meditação *tonglen*, começamos com a prática de receber, que consiste na visualização de aceitar em cada inspiração todos os sofrimentos de outros seres sencientes, incluindo até as origens desses sofrimentos e a propensão para aflições que existe em todos os seres. Em seguida, passamos à prática de dar (que envolve imaginação) em cada expiração; oferecer nossos recursos materiais, nosso corpo e todo o nosso carma a todos os seres sencientes. Ao treinarmos a mente dessa forma, o principal objetivo é produzir bem-estar para os demais seres sencientes; ao mesmo tempo, porém, ocorre a realização de nossos próprios interesses, como efeito colateral.

Quando falamos de *bodhicitta*, a mente altruísta do despertar, estamos nos referindo à aspiração de atingir o estado de ser do budismo para benefício de todos os seres sencientes, que nasce de uma combinação de duas aspirações distintas, mas relacionadas. Uma delas é a aspiração de alcançar a iluminação, a outra é a aspiração de gerar bem-estar a outros seres sencientes. A fim de atingir a primeira dessas aspirações, devemos primeiramente desenvolver alguma compreensão do que significa iluminação. Num contexto budista, o termo iluminação geralmente se refere à libertação da existência cíclica e à iluminação máxima do estado de ser do budismo, em especial. Uma verdadeira compreensão da natureza da iluminação total é decorrente de uma profunda compreensão do vazio.

Atingir a realização do *bodhicitta* e o nível ou profundidade em que ele irá ocorrer vai depender da intensidade de nossa experiência de grande compaixão; essa grande compaixão, que almeja libertar todos os seres sencientes do sofrimento, não se limita ao nível da mera aspiração. Ela possui uma dimensão de poder muito maior, que é o senso de comprometimento ou responsabilidade de pessoalmente criar o objetivo de proporcionar o bem-estar para os outros. A fim de cultivar essa poderosa grande compaixão, precisamos treinar nossa mente separadamente em dois outros aspectos: um deles é cultivar um sentimento de empatia ou de intimidade com todos os seres sencientes, em cujo benefício desejamos trabalhar para que possam se libertar do sofrimento; o outro visa cultivar uma compreensão mais profunda sobre a natureza do sofrimento do qual desejamos que os outros sejam libertados. Tradicionalmente, há dois métodos básicos para se cultivar o primeiro aspecto, que envolve um senso de proximidade ou intimidade com todos os demais seres sencientes: um deles é conhecido como "O método de sete pontos de causa e efeito", e o outro como "O método da troca e equiparação entre o 'eu' e os outros". A última abordagem é apresentada no texto **As oito estrofes para o treinamento da mente**.

O segundo aspecto, cultivar uma compreensão mais profunda sobre a natureza do sofrimento do qual desejamos libertar as outras pessoas, será mais eficiente se primeiramente realizarmos um treinamento que vise a nossa própria experiência de sofrimento. Uma forma de atingir esse objetivo é refletir profundamente sobre os ensinamentos contidos nas "Quatro nobres verdades", especialmente a verdade do sofrimento e a verdade de sua origem. Em seu poema "O canto da experiência", Lama Tsong Khapa afirma que só seremos capazes de gerar o verdadeiro desejo de libertação se contemplarmos profundamente a natureza e as imperfeições do sofrimento. Da mesma forma, ele prossegue, nunca saberemos como obter o fim do sofrimento se falharmos em contemplar com profundidade a dinâmica causal da origem do sofrimento. Ele, então, manifesta uma aspiração sincera: "Que eu possa, portanto, aprofundar minha compreensão sobre a natureza do sofrimento e, assim, cultivar um verdadeiro desejo de atingir a libertação".

Conforme mencionei anteriormente, identificamos três níveis de sofrimento no budismo: o primeiro é o sofrimento do sofrimento, o segundo, o sofrimento da mudança, e o terceiro é o sofrimento do condicionamento difuso. No que se refere ao primeiro nível de sofrimento, todos reconhecemos esses sofrimentos e temos um desejo natural de evitá-los. Ao aprofundarmos a compreensão desse primeiro nível de sofrimento, cultivamos o desejo de levar o renascimento a esferas superiores e, com esse objetivo, vivemos uma vida espiritual segundo uma estrutura de disciplina ética na qual nos abstemos das dez ações negativas. No que se refere ao segundo e terceiro níveis de sofrimento, porém, cultivamos uma profunda compreensão sobre sua natureza e, assim, desenvolvemos um desejo genuíno de alcançar a libertação da existência cíclica.

Quando refletimos sobre os ensinamentos de Buda sobre as "Quatro nobres verdades", reconhecemos, dessa maneira, que a essência de toda a sua doutrina reside efetivamente na prática do *bodhicitta*. Concluímos que as muitas outras práticas, como a disciplina ética de se abster de ações negativas, o cultivo de uma compreensão maior sobre a natureza do sofrimento e o desenvolvimento de uma verdadeira renúncia, de fato, antecedem essa prática essencial do cultivo do *bodhicitta*. Muitas outras práticas, como a das seis perfeições e as várias absorções meditativas encontradas nos ensinamentos Vajrayana, podem ser vistas como aplicações práticas do *bodhicitta*. Em outras palavras, podemos considerar essas várias práticas meditativas como preceitos que o *bodhisattva* deve aceitar como conseqüência natural de ter gerado o *bodhicitta*, a mente altruísta do despertar.

Estrofe 8

Que tudo isso possa permanecer livre
Das máculas das oito inquietações mundanas,
E que eu possa, ao reconhecer todas as coisas como ilusões,
Ficar livre dos pensamentos negativos.

Na oitava estrofe, o autor apresenta práticas relacionadas ao *bodhicitta* absoluto ou à mente absoluta do despertar, que é o cultivo da sabedoria que realiza o vazio diretamente. Ele destaca a importância de assegurar que a prática espiritual não se contamine com o que conhecemos como "as oito inquietações mundanas".[13] Essas oito inquietações refletem com intensidade a maneira pela qual nossa interação diária com as pessoas é completamente violada por nosso sentimento de autopreservação.

"Que eu possa aprofundar minha compreensão sobre a natureza do sofrimento e, assim, cultivar um verdadeiro desejo de atingir a libertação."

Num nível sutil, até mesmo a compreensão da existência intrínseca das coisas é considerada uma forma de inquietação mundana. Devemos garantir que todas as práticas de cultivo da mente altruísta do despertar permaneçam livres de qualquer forma de inquietação mundana, inclusive essa compreensão sutil sobre a existência inerente de nosso próprio eu e outros fenômenos. É por esse motivo que o cultivo da sabedoria do vazio é essencial.

Em termos gerais, existem duas formas de meditação sobre o vazio: uma é a meditação espacial sobre o vazio, que é caracterizada pela total ausência ou negação da existência inerente; a outra é a chamada meditação ilusória sobre o vazio. A meditação espacial deve ocorrer em primeiro lugar, pois, sem se perceber a total ausência da existência inerente, a percepção ou compreensão ilusória não irá ocorrer. Para que ocorra a compreensão ilusória de todos os fenômenos, é preciso que haja uma combinação de percepção ou aparência e negação, para que, quando percebermos o mundo e participarmos dele, possamos enxergar todas as coisas e acontecimentos como se fossem ilusões. Iremos reconhecer que, embora as coisas estejam visíveis para nós, elas são destituídas de uma existência objetiva, independente e intrínseca. É dessa forma que surge a compreensão semelhante à ilusão. O autor das **Oito estrofes** mostra o resultado experimental quando escreve: "Que eu possa, ao reconhecer todas as coisas como ilusões, ficar livre dos pensamentos negativos".

Quando falamos de cultivar a compreensão ilusória da natureza da realidade, devemos nos lembrar das diferentes interpretações do termo "ilusória". As escolas indianas não budistas também falam da natureza ilusória da realidade e existem diferentes interpretações nas escolas budistas; por exemplo, as escolas budistas realistas explicam a natureza da realidade como sendo ilusória na medida em que, embora costumemos perceber as coisas como dotadas de permanência, na verdade elas estão mudando de momento a momento, e é esse fato que lhes confere um caráter ilusório.

No contexto de nosso breve texto, a natureza ilusória da realidade deve ser compreendida como estando relacionada a todos os acontecimentos e coisas. Apesar de, muitas vezes, nós os percebermos como dotados de algum tipo de natureza ou existência intrínseca, na verdade eles são destituídos de tal realidade. Assim sendo, existe uma disparidade entre o modo como as coisas se apresentam a nós e como elas realmente são. É nesse sentido que se afirma que todos os acontecimentos e coisas possuem uma natureza ilusória.

Falamos anteriormente sobre a compreensão do "eu". Tal fato apresenta duas formas: uma delas refere-se à compreensão da "existência do eu das pessoas", a outra trata da "auto-existência dos fenômenos", especialmente os fatores físicos e mentais de nossa existência. Em geral, diz-se que a compreensão dos fatores da existência surge primeiro na mente. Por exemplo, sempre que surge a percepção do "eu" – como quando o pensamento de que "eu sou" está presente –, existe a relação com nossos componentes físicos ou mentais. Em budismo, eles são conhecidos como os agregados mentais e físicos, e a compreensão de sua auto-existência é conhecida como "a compreensão da auto-existência dos fenômenos". Com base nessa ilusão, surgem a percepção do eu e o pensamento de "eu sou", e a compreensão desse "ego" ou "eu" é a compreensão da auto-existência da pessoa.

Em termos gerais, há dois tipos de compreensão da auto-existência das pessoas – o que se concentra no próprio eu, e o que se concentra nos outros. O primeiro é conhecido como a compreensão egoísta da auto-existência, na qual, por um lado, se encontra a compreensão do pensamento "eu sou" ou "eu" e do outro a compreensão de "meu", como as possessões desse eu. Partindo desse princípio, estendemos a percepção do eu a nossos pertences, como "minha casa", "meu corpo" e "minha mente". Aflições, como dedicação excessiva e raiva, surgem devido a esses pensamentos possessivos. Esse é o processo dinâmico causal por meio do qual nossas aflições – a causa de nosso sofrimento – passam a existir. Para dar um fim a essa cadeia de causas e efeitos aflitivos, devemos cultivar a compreensão dos dois tipos de abnegação – a "abnegação da pessoa" e a "abnegação dos fenômenos". Embora muitos textos apresentem a abnegação dos fenômenos em primeiro lugar, diz-se que, em termos de ordem de uma prática real, devemos meditar primeiro sobre a abnegação da pessoa. Isso ocorre porque geralmente é

Existe uma disparidade entre o modo como as coisas se apresentam a nós e como elas realmente são. É nesse sentido que se afirma que todos os acontecimentos e coisas possuem uma natureza ilusória.

mais fácil identificar o conceito de auto-existência relacionado à própria percepção do "eu" do que à de outros fenômenos.

Gerando a mente altruísta do despertar: a cerimônia

Para concluir nosso debate sobre os **Oito versos para o treinamento da mente**, vamos agora realizar a cerimônia para gerar o *bodhicitta*, a mente altruísta do despertar. Entre o público, os que forem praticantes budistas podem participar de toda a cerimônia; os que não são budistas podem participar como um meio de fortalecer o compromisso com os ideais de compaixão e altruísmo.

Antes de participar desta cerimônia, lembrem-se das "Práticas dos sete ramos": I) prostrações; II) oferendas; III) confissão e purificação de ações não virtuosas; IV) cultivo da capacidade de regozijar-se pelas ações positivas dos outros; V) apelar aos budas para girar a Roda do Dharma; VI) solicitar aos budas para não entrar no Nirvana e VII) dedicação.

Para a cerimônia propriamente dita, no espaço em que está colocada a pintura *thanka* de Buda, vocês devem imaginar a presença do verdadeiro Buda em pessoa. Imaginem que Buda está cercado de vários mestres espirituais admiráveis do passado, como Nagarjuna, Chandrakirti e Shantideva, cujas obras citamos ao longo desta palestra. Então, com a mente livre de emoções aflitivas, reflitam sobre o fato de que, assim como vocês, todos os seres sencientes têm um desejo natural de ser felizes e superar o sofrimento; reflitam, também, sobre as desvantagens de uma atitude egocêntrica e egoísta e sobre os benefícios de pensar e trabalhar pelo bem-estar dos outros. Lembrem-se do infinito número de seres sencientes e cultivem uma forte determinação de atingir a iluminação total do estado de ser do budismo para poder proporcionar seu bem-estar.

Ao recitarmos o primeiro verso, estaremos invocando a presença de todos os budas e *bodhisattva* e conclamando-os a testemunhar diante de nossa geração da mente altruísta. Agora, com o forte propósito e determinação de proporcionar o bem-estar a todos os seres, despertem a mente altruísta em vocês.

Com essa preparação, vamos ler juntos as seguintes estrofes, três vezes:

Com o desejo de libertar todos os seres
Sempre procurarei refúgio
No Buda, no Dharma e na Sangha
Até atingir a iluminação total.

Entusiasmado pela sabedoria e compaixão,
Hoje, na presença dos budas,
Eu gero a mente do despertar
Para o benefício de todos os seres sencientes.

Enquanto houver o espaço,
Enquanto houver seres sencientes,
Até então eu possa também permanecer,
A fim de dissipar todos os sofrimentos do mundo.

Não podemos esperar realmente atingir a mente altruísta do despertar com a simples participação nesta cerimônia, porém, se nos envolvermos constantemente nos processos de treinamento da mente com a recitação desses versos todos os dias e, dessa forma, tentar aprofundar nossa experiência, aos poucos nos acostumaremos com os sentimentos que eles transmitem e com os ideais da mente altruísta do despertar. Com o passar do tempo, nossos níveis de experiência vão tornar-se mais profundos.

Também será útil lembrar, de tempos em tempos, que vocês participaram desta cerimônia para a geração da mente altruísta do despertar, ao ler esses versos. Usem isso como inspiração para sua prática espiritual.

4 A lâmpada de Atisha sobre o caminho que vai atingir a iluminação

O TEXTO CONCISO, PORÉM ABRANGENTE, DE ATISHA REÚNE os pontos essenciais dos ensinamentos dos três giros da Roda do Dharma, como descrito resumidamente no capítulo dois. Ele foi composto no Tibet pelo mestre indiano Atisha Dipamkara, a pedido de Jhangchup Wö, então governante do Tibet ocidental. Jhangchup Wö solicitou um ensinamento especial que não se distinguisse tanto por sua profundidade, mas por sua clareza, para que pudesse beneficiar o povo do Tibet como um todo. Atisha ficou extremamente emocionado e satisfeito com a sinceridade do pedido de Jhanchup Wö e, de acordo com sua solicitação, redigiu esse breve texto.

Seu título indiano é *Bodhipathapradipa*, que é traduzido para o tibetano como *Byang chub sgron ma*, que significa "Lâmpada para o caminho que vai atingir a iluminação". Em sânscrito, o termo *bodhi* significa iluminação e tem a dupla conotação: dispersar ou superar e realizar ou aperfeiçoar algo. Por esse motivo, os tradutores tibetanos preferem traduzir esse importante termo em sânscrito com a palavra tibetana *jhangchup*, composta de duas sílabas, *jhang* e *chup*. *Jhang* significa dispersar, superar ou eliminar, e *chup* significa aperfeiçoar ou realizar. Juntas, elas transmitem a idéia da iluminação total do estado de ser do budismo. Em outras palavras, um buda é alguém que abandonou totalmente todas as imperfeições e adquiriu todas as qualidades positivas.

O caminho de que falamos aqui se refere a estágios progressivos de desenvolvimento em nosso *continuum* mental, a começar pelas primeiras realizações espirituais, culminando com a mente onisciente de Buda. É denominado de "caminho" porque um caminho é algo que se percorre; aqui, a metáfora "caminho" é usada para uma jornada interior que ocorre dentro de nossa mente. Assim sendo, a "lâmpada" refere-se ao verdadeiro ensinamento em si, expresso neste texto. Tal ensinamento apresenta todos os principais elementos do caminho em sua ordem correta; ele também define, de forma abrangente, todos os pontos essenciais e explica a seqüência adequada e a forma como os diferentes elementos do caminho se relacionam uns com os outros. Nesse sentido, o texto, como um todo, atua como uma lâmpada que clareia o caminho para a iluminação.

Um caminho é algo que se percorre; uma jornada interior que ocorre dentro de nossa mente.

Quando falamos de iluminação, geralmente se compreende que os seguidores do budismo apresentam diferentes inclinações mentais. Algumas pessoas têm maior inclinação para alcançar a iluminação de um *shravaka* (ouvinte), outros se mostram mais inclinados à iluminação de um *pratyekabuddha* (realizador solitário). Outros, ainda, estão mais inclinados ao caminho do *bodhisattva*, culminando na iluminação do estado de ser do budismo total. A iluminação citada neste texto, em especial, é a última delas, a iluminação do Buda, que, às vezes, é chamada de a "grande iluminação", para distingui-la dos dois primeiros tipos.

O texto de Atisha começa com a seguinte saudação a Manjushri: "Homenagem ao *bodhisattva*, o jovem Manjushri".[14] Essa saudação foi inserida pelo tradutor do texto do original indiano para o tibetano. Há dois motivos para que os tradutores tibetanos inserissem uma saudação no início de um texto: um deles é o de garantir uma perspectiva favorável, para que a tarefa de traduzir a obra não apresente obstáculos, e o outro é de que o esforço seja concluído com sucesso. Mais especificamente, a saudação do tradutor destina-se a ajudar a identificar a qual dos três ramos das escrituras budistas (conhecidos como *Tripitaka*) a atual obra pertence e obedece a uma lei estabelecida por um antigo monarca tibetano que ordenava que todos os textos traduzidos do sânscrito para o tibetano apresentassem tais saudações por parte dos tradutores.

Os três ramos das escrituras são: *vinaya* ou ensinamentos éticos; *sutras* ou discursos religiosos; e *abhidharma* ou o estudo da psicologia ou fenomenologia budista. Foi decretado que os textos pertencentes ao *vinaya* fossem precedidos pela saudação do tradutor ao Buda onisciente; os textos pertencentes ao *sutra*, por uma saudação aos budas e *bodhisattvas*; e os pertencentes ao *abhidharma*, uma saudação ao *bodhisattva* Manjushri. Embora a **Lâmpada sobre o caminho que vai atingir a iluminação** reúna os ensinamentos desses três ramos das escrituras, o principal tema dessa obra pertence ao ramo *abhidharma*, daí a saudação do tradutor a Manjushri. O equivalente tibetano de Manjushri é *jang pel*, duas sílabas que significam "bondade" e "glória", e o termo Manjushri, em sânscrito, é formado pelas sílabas *manju* e *srhi*, que conotam os dois aspectos do estado de iluminação. Um aspecto é a capacidade de superar as imperfeições, como indicado pelo termo "bondade" ou *jang*. *Jang* refere-se ao fato de que o *continuum* mental de Manjushri se tornou bondoso ao eliminar todas as forças aflitivas que poderiam agitar ou perturbar sua mente. Libertar-se delas gera bondade ou tranqüilidade da mente. "Glória" (*pel*) faz alusão ao apego de Manjushri às várias e nobres características, de maior ou menor importância, que definem uma pessoa como um ser totalmente iluminado. Assim sendo, no nome do próprio Manjushri, vemos qualidades de abandono e realização ou perfeição.

Estrofe 1

Presto homenagem com grande respeito
A todos os vitoriosos dos três tempos,
À sua doutrina, e aos que aspiram à virtude.
Incentivado pelo bom discípulo Jhangchup Wö,
Acenderei a lâmpada
Para o caminho que vai atingir a iluminação.

Os "vitoriosos" mencionados no segundo verso são os budas, assim descritos por terem conquistado a vitória contra as quatro *maras* ou forças obstrutivas. As formas mais sutis dessas quatro forças são as inclinações inerentes para emoções e pensamentos angustiosos, que formam a base das próprias aflições; elas são conhecidas como "as sutis obstruções ao conhecimento total". No terceiro verso da estrofe de abertura, Atisha presta homenagem aos ensinamentos dos budas, isto é, o Dharma. Aqui, Dharma não se refere aos textos literários, mas, sim, às realizações espirituais interiores dos vitoriosos ou budas, e aos altamente evoluídos *arya* ou "seres nobres", que conquistaram a compreensão direta da verdade.

Em seguida, Atisha saúda a comunidade espiritual, à qual ele aplica a expressão "e aos que aspiram à virtude". Aqui, Atisha se refere à Sangha, a comunidade de *arya,* cujos membros atingiram o caminho da visão e, assim, obtiveram a realização direta da natureza absoluta da realidade. Na verdade, nessa primeira estrofe, Atisha saúda as Três Jóias: o Buda (o mestre), o Dharma (os ensinamentos) e a Sangha (a comunidade de praticantes).

Após esse verso, lemos: "Incentivado pelo bom discípulo Jhangchup Wö, acenderei a lâmpada para atingir o caminho da iluminação".

Como mencionei antes, Atisha redigiu esse texto atendendo a um pedido especial do monarca tibetano e bom discípulo Jhangchup Wö. Esse verso também alude a um princípio geral budista que reza que se devem oferecer ensinamentos religiosos somente quando solicitados.

Compreendendo as três jóias

Como podemos compreender a jóia de Buda, que é o primeiro objeto da saudação de Atisha nesse texto? Quais são as características de um buda? Para responder a essas perguntas, será útil consultar um clássico do budismo indiano, intitulado **Compêndio das cognições válidas**, de Dignaga, no qual ele presta homenagem a Buda, oferecendo-lhe o epíteto: "você, que se tornou um ser válido". As palavras-chave aqui são "que se tornou", pois indicam que Buda não era um ser eternamente iluminado, mas alguém que se tornou um mestre válido, depois que alcançou a iluminação. Isso demonstra que o estado de ser do budismo não ocorre sem motivo, que não é gerado por causas incompatíveis com os resultados e que as causas por si só não são permanentes e imutáveis. Portanto, quais são essas causas? Dignaga identifica o cultivo da grande compaixão como um dos fatores essenciais. No verso de saudação de seu **Compêndio de cognições válidas**, ele presta homenagem a Buda como alguém que se tornou um mestre válido por meio da prática sustentada da compaixão, que é complementada por outras práticas, como o cultivo da sabedoria do vazio.

Os textos budistas fazem referência às três jóias, usando a metáfora do médico, do remédio e do enfermeiro, que pode ser uma imagem muito útil. Buda é comparado a um médico; o Dharma, ao remédio; a comunidade espiritual ou Sangha, a um enfermeiro. Essa analogia nos conta que o Dharma é o remédio perfeito que combate diretamente a "doença" do sofrimento e suas

> **O Dharma é o remédio perfeito que combate diretamente a "doença" do sofrimento e suas causas básicas.**

causas básicas. Buda prescreve o remédio (Dharma), e nossos companheiros no caminho, os membros da comunidade espiritual, servem de apoio, enquanto "tomamos o remédio" do Dharma.

A verdadeira jóia do Dharma é a verdadeira cessação. Aqui, o termo "cessação" refere-se à liberdade real que conquistamos com a contínua aplicação dos antídotos para os aspectos negativos da mente. Assim senso, a conseqüência absoluta de nossa prática espiritual é evitar que as aflições (emoções e pensamentos negativos) tornem a se manifestar. O fim das aflições é a verdadeira cessação, ou seja, o verdadeiro Dharma, e o caminho que conduz até ela também é conhecido como o verdadeiro Dharma.

Portanto, a próxima pergunta seria: "Como esses antídotos funcionam?" Nesse contexto, precisamos nos lembrar de nossa discussão anterior sobre os três níveis do sofrimento, quando reconhecemos que o terceiro nível do sofrimento é o do condicionamento difuso. Ele sugere que nossa própria existência está condicionada e se caracteriza pelo sofrimento, e significa que nossa existência atual está condicionada pelo carma e pelas aflições. Conforme discutimos anteriormente, o carma se refere não somente às nossas ações, mas, o que é mais importante, à motivação ou intenção que as fundamenta. Os atos, por si só, não são a principal causa do sofrimento que, ao contrário, nasce do mundo de nossas intenções ou, em outras palavras, de nossos pensamentos e emoções. Esses estados mentais aflitivos formam a base de nosso carma negativo e, conseqüentemente, são a raiz ou origem de nosso sofrimento.

Obviamente, essas aflições não desaparecerão simplesmente porque queremos ou com orações; elas só podem ser eliminadas com o cultivo dos remédios ou antídotos correspondentes. Para compreender como funciona o processo de aplicação de um antídoto, basta observar nosso mundo físico. Como exemplo, podemos comparar frio a calor: se estivermos sofrendo os efeitos de uma temperatura muito baixa, ajustamos o termômetro do aquecedor ou ar-condicionado de acordo com nossas necessidades. Assim, mesmo no mundo físico, podemos ver casos em que forças contrárias se opõem umas às outras. Outro bom exemplo é o da luz e da escuridão: assim que acendemos uma lâmpada, a escuridão se dispersa; e, quando há escuridão, não há luz. No mundo de nossas emoções e pensamentos, porém, o processo pelo qual os antídotos agem contra suas forças opostas é ligeiramente diferente. Nesse caso, precisamos desenvolver um estado mental adequado, que se oponha diretamente à aflição em questão. Para tanto, é preciso escolher o mesmo objeto, mas cultivar um ponto de vista ou atitude contrário. Por exemplo, no caso do ódio e da compaixão, essas duas forças opostas podem ser focadas em um único objeto – como um indivíduo –, mas elas apresentarão efeitos totalmente diversos em termos de nossa experiência.

A título de discussão, digamos que uma pessoa tenha profunda aversão à emoção da compaixão e queira fazer todo o possível para retirá-la de dentro de si. Com esse objetivo em mente, ela intencionalmente cultiva uma atitude hostil em relação a tudo e se empenha em tentar enxergar as desvantagens de cultivar a afetuosa generosidade. Podemos imaginar como tal abordagem pode acabar aumentando os sentimentos de ódio e raiva nessa pessoa. Esse nunca pode ser o objetivo de praticantes espirituais; do ponto de vista de sua experiência pessoal, eles reconhecem que a raiva e a hostilidade perturbam a paz de espírito e, o que é mais importante, têm o potencial de prejudicar os outros. De maneira oposta, reconhecemos que emoções positivas, como a compaixão e a afetuosa generosidade, podem produzir em nós uma profunda sensação de paz e serenidade, resultados benéficos que podemos também estender a outras pessoas; tal avaliação do imenso valor dessas emoções positivas conduz naturalmente ao desejo de cultivá-las. É através desse processo gradativo que os antídotos agem para reduzir e, por fim, eliminar suas forças opostas na esfera mental, a esfera dos pensamentos e emoções.

Será que isso significa que existe total igualdade entre emoções positivas e negativas e, conseqüentemente, ao reforçarmos a compaixão, poderemos eliminar o ódio e vice-versa? Acredito ser importante atingir uma compreensão maior sobre as diferenças entre emoções positivas e negativas. De modo geral, algumas de nossas aflições são instintivas, como o apego, a raiva e a hostilidade. Embora em determinadas circunstâncias possa haver um catalisador ou detonador imediato, e a razão também desempenhe seu papel, geralmente essas emoções são mais reativas e instintivas. Contudo, existe outra categoria de emoções que costumam ser mais cognitivas, tais como a falsa percepção que temos do "eu" e o fato de nos apegarmos a determinados conceitos extremos como sendo supremos.

Além disso, quando analisamos essas emoções e esses pensamentos aflitivos, constatamos que, em sua raiz, encontra-se a aflição mais sutil da ilusão. Nossa mente ilusória compreende a existência substancialmente real das coisas e, com base nessa compreensão, surge uma reação emocional que nos faz perceber o objeto dessa emoção como desejável ou não. A mente que compreende tais coisas como reais está iludida porque a verdadeira natureza das coisas é seu vazio, ou seja, elas não têm existência independente ou intrínseca em e por si só. Em resumo, portanto, a mente que compreende a existência intrínseca das coisas está fundamentalmente enganada. Depois de compreender esse fato, reconhecemos que emoções negativas, como a raiva e o ódio, não têm qualquer sustentação válida, tanto na realidade quanto em termos da razão, pois sua origem ou base é um estado mental distorcido. Além do mais, ao cultivar uma profunda compreensão sobre o vazio, que é a verdadeira natureza das coisas, podemos desestabilizar a base do surgimento dessas aflições. Em contraste, emoções positivas, como a afetuosa generosidade e a compaixão, não costumam depender da compreensão do objeto como tendo uma verdadeira existência e, além disso, essas emoções positivas são dotadas de um potencial para aperfeiçoamento infinito. Assim sendo, existem consideráveis diferenças entre emoções positivas e negativas em termos de sua base e de seu potencial para desenvolvimento infinito.

Emoções positivas são dotadas de um potencial para aperfeiçoamento infinito.

De modo que a questão é a seguinte: se a ilusão fundamenta todas as aflições, que base temos para entender que essa ilusão se refere à compreensão da verdadeira existência das coisas? Aqui, precisamos voltar aos **Quatrocentos versos do caminho do meio**, em que, imediatamente após a estrofe que citei anteriormente, Aryadeva escreve: "É ao compreendermos a verdade da geração dependente [que] obteremos a cessação da ilusão". Ele diz que, quando um indivíduo atinge uma profunda compreensão dos aspectos sutis dos ensinamentos sobre a geração dependente, ele é, então, capaz de criar a cessação da ilusão na própria mente. A ilusão, portanto, é identificada como um equívoco, um estado mental que percebe o mundo e o eu como sendo contrários ao princípio da geração dependente.

Como vimos anteriormente, segundo esse princípio, todas as coisas nascem devido a outros fatores. O oposto disso seria conciliar o *status* de existência independente a coisas e acontecimentos; se fosse assim, coisas e acontecimentos não poderiam ter a natureza de dependência sobre os outros. Esse *status* projetado de independência é chamado de "ego" no contexto do ensinamento sobre a abnegação. Esse ensinamento revela a ausência da existência independente das coisas, pois todas as coisas nascem como resultado ou na dependência de outras causas e condições. Aryadeva conclui dizendo: "Aquilo que é gerado dependentemente não pode possuir uma natureza independente e essa ausência de existência independente é o que eu chamo de geração dependente."

Havia uma divergência de opinião entre os discípulos de Nagarjuna sobre se a ilusão de compreender coisas e eventos como que possuindo uma verdadeira existência é ou não uma violação na categoria das aflições ou na categoria das sutis obstruções ao conhecimento. Por um lado, esses observadores de Nagarjuna, como Parvavyeka, entendiam a ilusão de compreender a verdadeira existência das coisas como uma sutil obstrução ao conhecimento; entretanto, outros interpretaram as **Sete estrofes do caminho do meio**, de Nagarjuna, e concluíram que a ilusão faz parte dos estados aflitivos da mente. Eles argumentavam que, mesmo para atingir o estado de *arhat*, que é a libertação do *sam-*

sara ou existência cíclica, é preciso eliminar a ilusão de compreender a verdadeira existência. Com base nesse entendimento, afirma-se que a compreensão sobre o vazio é o único caminho para a libertação. Essa compreensão do vazio é conhecida como a sabedoria do não-eu ou abnegação, e é vista aqui em termos do que chamamos de as "Três portas" para a libertação total. Esse entendimento sobre o vazio das coisas e acontecimentos é cultivado com base na compreensão de sua natureza a partir do ponto de vista de suas causas e efeitos.

Podemos relacionar os ensinamentos sobre a compreensão da abnegação aos das "Quatro nobres verdades", o primeiro ensinamento público transmitido por Buda. Ele ensinou as "Quatro nobres verdades" em termos de 16 características, quatro para cada verdade. As quatro características da primeira nobre verdade do sofrimento são impermanência, imperfeição, vazio e insubstancialidade. Assim, todas as diversas escolas budistas e os seguidores de Buda entendem que esse ensinamento fundamental se manifesta através do ensinamento da insubstancialidade (inexistência do ego) ou *anatman*.

Naturalmente, existem diferentes interpretações quanto ao significado da inexistência do ego. A história do pensamento filosófico na Índia inclui uma longa tradição de análises sobre a natureza da individualidade e do indivíduo ou ser. Por exemplo, refletiu-se e discutiu-se amplamente sobre questões como: quando ocorrem a dor e o prazer, quem os experimenta? Quando falamos de acumular carma, quem o acumula? Quem é o agente do ato cármico? Quem experimenta os frutos do carma? Nós aceitamos o fato de que existe um indivíduo ou ser que rotulamos de "eu", mas qual exatamente é a natureza desse "eu" ou ego?

As escolas não budistas da Índia, especialmente as que aceitam a idéia do renascimento, concordaram com o fato de que, como o corpo físico depende de uma vida em especial e é transiente, o "eu" não pode ser identificado com o corpo ou a existência corpórea. Essas escolas geralmente defendem que o "eu" deve ser completamente independente dos componentes físicos e psicológicos (*skandhas*, em sânscrito), que formam a existência do indivíduo, e aceitam o "eu" como um princípio eterno, que transcende os ciclos de vida individual e mantém sua existência através de todos os estágios temporais.

Quer o "eu" ou *atman* seja caracterizado como eterno, imutável e unitário, quando investigamos mais profundamente sua natureza, conseguimos apenas identificar três características principais que são: a de que o "eu" é eterno do ponto de vista do tempo; que ele é unitário ou indivisível; e que ele é independente ou, de certo modo, autônomo. Em termos gerais, todas as escolas budistas rejeitam o conceito de um "eu" eterno, entretanto diferentes escolas budistas apresentam opiniões divergentes quanto à seguinte alternativa: se não existe um "eu" independente e eterno, como compreendemos o conceito de pessoa e de um agente da ação? Quem é esse ser? Algumas escolas tentam identificar a pessoa com base nos agregados físicos e mentais, que formam o indivíduo e afirmam que a pessoa é composta pela totalidade dos cinco *skandhas*. Outros alegam que se deve considerar que o ser individual, ou a pessoa, é um *continuum* da consciência. E há outros, como os seguidores das escrituras de *Yogacara* ou a escola da Mente Apenas, que afirmam que um *continuum* único de consciência, que chamam de consciência fundamental, deve ser identificado como a pessoa. E há ainda os seguidores de Nagarjuna (principalmente os que entendem seu ponto de vista sutil) que são de opinião que qualquer tentativa de identificar o "eu" como algo independente do corpo e da mente é indefensável. Igualmente insustentável é a tentativa de identificar o "eu" no interior do corpo e da mente. Eles afirmam que a pessoa deve ser compreendida como um mero rótulo, nome ou designação, conferido com base na agregação de mente e corpo; assim sendo, a natureza da pessoa é uma mera designação para algo destituído de realidade intrínseca.

Qualquer tentativa de identificar o "eu" como algo independente do corpo e da mente é indefensável.

Quando observamos as coisas e acontecimentos com maior profundidade, reconhecemos que são resultado da agregação de vários fatores.

Nenhum deles usufrui uma existência independente; sua natureza fundamental é uma mera dependência de outros fatores. No entanto, quando os percebemos de uma forma mais casual, como costuma ocorrer no dia-a-dia, temos a impressão de que possuem algum tipo de realidade discreta, independente e própria, e deixamos de perceber sua realidade interligada e dependentemente geradora. Tal disparidade na percepção de como as coisas realmente são e de como as percebemos fundamenta as várias reações emocionais em nossas relações com o mundo. Assim, em primeiro lugar, podemos afirmar que a compreensão distorcida do mundo origina nossas emoções aflitivas, como a raiva, o ódio e o apego; em segundo, a percepção do mundo como sendo dotado de uma realidade independente é destituída de fundamentos válidos; em terceiro, quando cultivamos o antídoto direto, que é a sabedoria da inexistência do eu, tal atitude se opõe diretamente à concepção errônea que temos do mundo como dotado de uma existência verdadeira e independente. Quando comparamos os dois, a visão falsa do mundo não tem base válida no que se refere à razão e à experiência, e a compreensão da inexistência do eu é dotada de uma fundamentação válida em ambos os aspectos. O ponto de vista que apresenta um fundamento válido no que concerne à razão e realidade ficará mais sólido à medida que for desenvolvido, até que se possa eliminar totalmente o conceito equivocado do mundo. Além disso, como a compreensão sobre a sabedoria da inexistência do eu é uma qualidade mental, sua base é extremamente duradoura, ao contrário de uma qualidade corporal, cuja base é limitada. Outra característica dessa qualidade mental é que, uma vez cultivada a ponto de se tornar espontânea, ela virá à mente sem a necessidade de se realizar um esforço deliberado e consciente; um simples catalisador ou impulso pode evocar essa compreensão ou qualidade mental de imediato.

Também precisamos lembrar que as aflições são separáveis da natureza essencial da mente; elas são removíveis porque são fundamentadas num equívoco e, depois que for superado, elas podem ser eliminadas. Quando consideramos todos esses fatos, atingimos um ponto em que a palavra "libertação" ou *moksha* passa a ter um significado profundo e compreendemos que a libertação é possível. Podemos combinar essa compreensão com a compreensão da natureza do Buda, conforme explicado no *Tathagatagarbha Sutra*, citado anteriormente, em que a natureza essencial da mente é descrita como luminosa e impoluta. Quando compreendemos esse fato, não somente as aflições são removíveis, como também as tendências e marcas deixadas por elas em nossa mente. É dessa forma que passamos a entender a verdadeira possibilidade de atingir o estado de ser do budismo, que é a eliminação total das aflições, suas tendências e marcas.

Isso é descrito nas escrituras de Mahayana em função dos quatro *kayas* ou as "Quatro corporificações" da iluminação total. Entretanto, uma compreensão mais profunda e detalhada dos quatro *kayas* é proporcionada pela leitura e pelo estudo dos textos Vajrayana, nos quais os quatro *kayas* são apresentados com base na mente sutil, também conhecida como "a mente fundamental inata da clara luz". O *svabhavakaya* é a corporificação natural do Buda. A mente onisciente do Buda nesse estado é descrita como o *dharmakaya* ou o corpo da verdade. O *sambhogakaya*, a sutil energia ou o *prana*, que é inseparável do estado *dharmakaya* do Buda e é energia em sua forma mais sutil, é o "corpo do Buda do recurso perfeito". Quando essa energia sutil assume uma forma visível, essa corporificação é descrita como o *nirmanakaya* ou o "corpo da emanação perfeita do Buda". Juntos, esses quatro *kayas* encerram a mente fundamental inata da luz clara, que é o estado de ser do budismo.

Se pensarmos dessa forma, poderemos compreender melhor o significado do Dharma. Com base nessa compreensão, podemos entender o Buda, que é o exemplo da perfeição total ou a realização do Dharma, e a Sangha, formada pelos que se encontram no caminho para a realização do Dharma. Dessa forma, podemos refletir de maneira proveitosa sobre a primeira estrofe desse texto, a estrofe de saudação às três jóias e obter uma introdução geral do significado do Dharma.

Buscando refúgio nas três jóias

Como afirma Dignaga, um buda é alguém que atingiu a iluminação total por meio do cultivo da compaixão e da sabedoria da inexistência do eu, a ausência da auto-existência. A partir de nossa discussão, também vimos que a jóia do Dharma deve ser compreendida como o caminho pelo qual podemos gradualmente atingir o mesmo resultado do Buda totalmente desperto. Da mesma forma, a jóia da Sangha é a comunidade de praticantes sinceros que realizaram o vazio diretamente, a natureza absoluta da realidade.

Para os que se consideram budistas praticantes, é crucial ter essa compreensão profunda das três jóias, quando buscamos refúgio no Buda, no Dharma e na Sangha. Por exemplo, procuramos refúgio em Buda ao cultivar uma profunda admiração pelos budas históricos, com base numa profunda devoção e fé em suas nobres realizações espiri-tuais. Quando falamos de fé dentro de um contexto budista, ela deve ser entendida em termos de uma fé que é reforçada pela sabedoria ou pela inteligência. A fé deve se basear na sabedoria, que deve ser reforçada pela fé e pela compaixão, de modo que se fortaleçam e se complementem mutuamente. Contudo, também devemos compreender que a busca de refúgio nas três jóias está relacionada às nossas realizações espirituais interiores e experiência no caminho para atingir a iluminação. Nossa fé ou devoção nas três jóias deve ser de emulação, na qual não só manifestamos admiração por elas, como também, e mais importante, aspiramos colocá-las em prática dentro de nós mesmos. Esse tipo de fé nos incentiva e inspira a participar das práticas do caminho e cultivar os vários níveis de realização até atingirmos o estado de ser do budismo, portanto é crucial compreender que, ao buscarmos refúgio em Buda, não somente buscamos refúgio no Buda histórico, mas também buscamos refúgio em nosso próprio estado de ser do budismo.

Níveis de aspirantes espirituais

A verdadeira apresentação do tema principal do texto começa com a seguinte estrofe:

Estrofe 2

Entenda que existem três tipos de pessoas
Devido a suas capacidades limitadas, medianas e supremas.
Escreverei estabelecendo claras diferenças
Entre suas características individuais.

Uma das principais características do texto de Atisha é o fato de mostrar a essência de todos os ensinamentos de Buda em uma seqüência definida de tópicos e práticas baseada na convicção de que o cumprimento desse método sistemático aumenta a eficiência da prática.

Podemos constatar como essa abordagem funciona pelo exemplo do cultivo do *bodhicitta*, a mente altruísta do despertar, ou seja, a aspiração de atingir o estado de ser do budismo para benefício de todos os seres. Em primeiro lugar, devemos desenvolver a compreensão sobre o objeto de nossa aspiração, que é o estado de ser do budismo ou despertar total, e, para tanto, precisamos de alguma compreensão sobre o que se quer dizer com "despertar" ou "iluminação". Além disso, devemos cultivar um profundo senso de altruísmo baseado numa grande compaixão, num verdadeiro desejo de ver todos os seres livres do sofrimento. Para despertar tal compaixão, é necessário desenvolver sistematicamente uma profunda empatia e um senso de união com todos os seres sencientes, uma sensação viva em nosso interior de não poder suportar seu sofrimento, como se fosse nosso.

Além disso, também precisamos de maior compreensão quanto à natureza do sofrimento do qual desejamos que os demais seres se libertem. Como eu disse anteriormente, para tanto, devemos analisar nossa experiência de sofrimento para podermos desenvolver um forte desejo de nos libertar dele, que é a verdadeira renúncia. Quando todos esses elementos forem combinados, poderemos despertar o *bodhicitta*, a mente altruísta do despertar. Portanto, para que o *bodhicitta* finque raízes em nós, devemos cultivar primeiro os diferentes componentes da mente altruísta do despertar individualmente, seguindo certa seqüência para desenvolver esses aspectos do caminho. No texto, Atisha explica os vários aspectos do caminho dentro da estrutura das práticas adequadas aos praticantes dotados de três capacidades: limitadas, medianas e supremas. Ele não está necessariamente se referindo a três categorias independentes de indivíduos, alguns com maior capacidade, outros com capacidade mediana e outros com capacidade limitada. Essa divisão se refere principalmente aos diferentes níveis de capacidade mental através dos quais um determinado indivíduo avança nos vários estágios de seu desenvolvimento espiritual. Conseqüentemente, pode-se afirmar que os praticantes possuem uma capacidade limitada no início; por meio da prática, eles progridem até o próximo estágio e se tornam pessoas de capacidade mediana e, com mais prática ainda, atingem a capacidade suprema. Podemos estabelecer uma analogia aqui com o moderno sistema educacional: em termos gerais, essas três capacidades correspondem ao ensino fundamental, médio e superior, em que os alunos passam por níveis de estudo progressivamente mais elevados e especializados.

Podemos relacionar os ensinamentos de Atisha sobre as três capacidades às três fases de desenvolvimento espiritual apresentados por Aryadeva, conforme descritos na seguinte estrofe de seus **Quatrocentos versos do caminho do meio**:

> Primeiro, os atos perniciosos são evitados;
> No meio, o eu é evitado;
> No final, todos os pontos de vista são abandonados.
> Aquele que sabe disso é, de fato, sábio.[15]

Aryadeva usa a expressão "atos perniciosos" para referir-se a pensamentos e atitudes negativos, que são a principal causa de sofrimento.

Quando falamos sobre as causas do sofrimento, referimo-nos ao carma ou a ações, e, geralmente, estabelece-se uma diferença entre três tipos de carma: um deles é negativo ou pernicioso, outro é benéfico e meritório, e o terceiro é imutável e inalterável. O primeiro, o carma negativo, dá origem ao sofrimento nos reinos inferiores;[16] o segundo, o carma benéfico, dá origem ao nascimento nas esferas mais elevadas, como ser humano ou celestial; o terceiro, o carma imutável ou inalterável, dá origem ao nascimento nos reinos da forma e ausência de forma.[17]

O primeiro estágio de Aryadeva, em que o praticante é aconselhado a afastar ou eliminar ações perniciosas, corresponde ao espectro inicial ou estágio da capacidade limitada de Atisha. Nesse caso, o principal objetivo é libertar-se de experiências imediatas de sofrimento, e a busca espiritual imediata do praticante é motivada pelo medo de enfrentar os sofrimentos dos reinos inferiores. As práticas espirituais mais importantes nesse estágio são as da moralidade – abster-se das dez ações negativas do corpo, fala e mente – e buscar refúgio nas três jóias.

O segundo estágio das três fases de Aryadeva, em que a concepção do "eu" deve ser derrubada, corresponde à capacidade mediana de Atisha. Aqui, a principal motivação dos praticantes é libertar-se da existência cíclica,[18] e a prática mais importante é a eliminação das aflições mentais que dão origem ao nosso sofrimento e à existência não iluminada. O terceiro e último estágio das três fases de Aryadeva, em que abandonamos todos os pontos de vista, corresponde à capacidade suprema de Atisha. Aqui, a principal motivação não é somente libertar-se da existência cíclica, mas, o que é mais importante, também alcançar a iluminação total para o benefício de todos os seres.

Um dos principais pontos ressaltados por essas duas estruturas é que mesmo praticantes de capacidades mediana e suprema devem primeiro realizar as práticas associadas com a capacidade limitada ou inicial; cada nível de prática se baseia no anterior e conta com a firme fundação de uma seqüência adequada.

Os três principais fatores do caminho

O admirável mestre indiano Nagarjuna identifica três principais fatores para se atingir a iluminação total: o primeiro fator é o *bodhicitta*, a aspiração altruísta para alcançar o estado de ser do budismo para benefício de todos os seres; o segundo fator é uma poderosa força de compaixão, que não só deseja que outros seres sencientes se libertem do sofrimento, mas também consiste em assumir a responsabilidade de atingir essa meta; o terceiro e principal fator é o que Nagarjuna chama de "sabedoria não dual" e que se refere à compreensão do vazio que transcende os dois extremos do absolutismo e do niilismo. Essa percepção ou sabedoria, que leva à compreensão de como as coisas realmente são, muitas vezes é descrita como a "natureza absoluta da realidade".

O processo ou o caminho para alcançar a iluminação total é descrito nos textos budistas em termos dos "cinco caminhos" e "dez estágios do *bodhisattva*", e afirma-se que requer um acúmulo de mérito ao longo de um período de três incontáveis éons. Como alguns textos Vajrayana citam a possibilidade de alcançar o estado de ser do budismo num "único instante", isso pode dar a impressão que há algum tipo de prática especial por meio da qual poderíamos nos tornar totalmente iluminados durante uma única sessão de meditação, com a simples recitação do mantra HUM ou algo parecido. Isso é totalmente irreal. Anteriormente vimos como nosso estado mental normal é contaminado por várias aflições, que devem ser removidas gradativamente, camada após camada, pois é por intermédio desse processo gradual que nossa mente se torna cada vez mais purificada, um processo que, por fim, culmina com a conquista do estado de ser do budismo.

Algumas pessoas podem sentir-se um tanto desestimuladas ante essa perspectiva, como aconteceu comigo na adolescência. Lembro-me claramente de fazer a seguinte observação a meu tutor Tadrak Rinpoche: "Ao ler as escrituras sobre as práticas do *bodhisattva*, cheguei à conclusão de que o caminho que elas descrevem é tão longo que parece quase impossível percorrê-lo. Assim, é provável que o caminho Vajrayana, onde se explica que é possível alcançar o estado de ser do budismo em um período de tempo muito mais curto, seja mais adequado para mim". A resposta de Tadrak Rinpoche foi imediata. Ele disse: "Como pode haver um caminho Vajrayana viável sem a prática do *bodhicitta*?"

De fato, Nagarjuna apresenta vários argumentos que ajudam a garantir que não desanimemos ao percorrer o caminho. Entre eles, encontra-se o conceito de que, se formos perseverantes em nossa prática, atingiremos um estágio de desenvolvimento em que não estaremos mais vulneráveis aos sofrimentos da existência cíclica. Assim que tal estágio for atingido, poderemos ficar realmente satisfeitos em permanecer no mundo durante o tempo necessário para libertar todos os seres do sofrimento. Além disso, alega Nagarjuna, como fizemos o voto solene de trabalhar pelo bem-estar dos outros, nossas atividades permanecerão as mesmas antes e depois de alcançar a iluminação total. Assim sendo, mais uma vez o fator tempo se torna menos importante. Nagarjuna também afirma que uma dedicação sincera à prática do *bodhicitta* cria uma sensação profunda de realização e um sentimento de que estamos tornando nossa existência humana mais significativa, o que ajuda a superar qualquer motivo de fadiga ou desânimo. Para realçar esse último ponto, os mestres Kadampa, muitas vezes, nos exortam a que nos esforcemos a cultivar o *bodhicitta*, pois, assim que ele nascer em nós, cuidará de tudo. Ele assumirá a responsabilidade pelo acúmulo de mérito para nós e pela purificação de todas as nossas negatividades. Isso nos mostra que a prática do *bodhicitta* é a origem da conquista de nossos objetivos temporários e de longo prazo.

Se formos perseverantes em nossa prática, atingiremos um estágio de desenvolvimento em que não estaremos mais vulneráveis aos sofrimentos da existência cíclica.

Naturalmente, se você não estiver interessado em cultivar o *bodhicitta* ou se achar que isso é muito difícil ou demorado, está livre para não assumir tal compromisso. Entretanto, se fizer tal escolha, como irá dar um fim ao *continuum* de seu sofrimento? Pois, independentemente de aceitarmos a idéia do carma e das aflições, permanece o fato de que nossa existência iluminada atual é um produto de nosso carma e aflições passadas. E, enquanto continuarmos acorrentados a eles, a verdadeira felicidade vai nos escapar, acontecimentos indesejáveis irão ocorrer de tempos em tempos e continuaremos sujeitos aos sofrimentos inevitáveis do nascimento, da doença, do envelhecimento e da morte.

O mestre Kadampa Geshe Potowa certa vez perguntou: "Existe a possibilidade de esgotar ou findar nossos sofrimentos simplesmente vivenciando-os?" Isso, é claro, é impossível. Desde os tempos sem início, temos suportado todos os sofrimentos do nascimento, doenças, envelhecimento e morte repetidamente, e a passagem do tempo não conseguiu findá-los. A partir disso, podemos concluir que também no futuro é improvável que o simples fato de vivê-los durante um período de tempo, não importa quão longo, conduza a seu fim. Em vez disso, precisamos eliminá-los por meio de um esforço consciente e deliberado, e isso só pode ser conseguido ao compreendermos a profunda natureza do sofrimento e aplicarmos os meios corretos.

Eu gostaria de defender uma idéia correlata. Certo dia, quando um pensador altamente instruído e eu discutíamos o fato de que o "eu" é um fenômeno de difícil compreensão, que não pode ser encontrado nem no corpo, nem na mente, ele observou: "Se o 'eu' não existisse de modo algum, de certa forma isso simplificaria muito as coisas. Não haveria experiências de dor e sofrimento, pois não haveria indivíduos para vivenciar tais experiências. Entretanto, não é esse o caso; não importa se conseguimos encontrá-lo ou não, existe um ser individual que vive a experiência da dor e do prazer, que está sujeito às experiências, que percebe as coisas, etc. Com base em nossa experiência, sabemos que há algo – não importa o nome que lhe damos – que nos permite passar por essas experiências. Somos dotados de algo chamado discernimento ou habilidade de perceber as coisas".

De fato, quando analisamos a experiência do sofrimento, embora exista o sofrimento no nível sensorial ou corporal, como a dor física, mesmo a experiência da dor está intimamente ligada à consciência ou mente e, portanto, faz parte de nosso mundo mental. É esse fato que distingue seres sencientes de outros organismos biológicos, como plantas, árvores e outros. Seres sencientes possuem uma dimensão subjetiva que podemos decidir chamar de experiência, consciência ou mundo mental.

O que é, exatamente, esse fenômeno mental? Será que depende totalmente do corpo ou de fenômenos físicos? Essa não é uma dúvida recente: foi formulada na antiga Índia, onde uma escola adotou um ponto de vista materialista e afirmou que a mente é, basicamente, redutível ao corpo físico do indivíduo. A mente se identifica com o corpo, e não existe um fenômeno separado além do corpo. Conseqüentemente, quando o corpo do indivíduo deixa de existir na hora da morte, o mesmo ocorre com a consciência. Eles compararam a mente e o corpo a um muro e um mural afixado sobre ele; enquanto o muro existir, o mural fica sobre ele, mas, quando o muro é derrubado, o mural desaparece. Apresentaram outra analogia da mente e do corpo, comparando-os ao vinho e ao seu teor alcoólico: quando o vinho acaba, o álcool também não está mais lá.

No entanto, muitas outras tradições filosóficas indianas rejeitaram essa posição. Também nos tempos modernos ocorrem discussões quanto ao relacionamento entre o corpo e a mente, e o relacionamento destes com toda a compreensão cosmológica sobre a origem do universo. Por exemplo, segundo a moderna cosmologia, o acontecimento que passou a ser chamado de *Big Bang* (Grande explosão) marcou o início do atual sistema cosmológico. Mas a questão é, foi ele o início de tudo? Também podemos perguntar de onde vem a consciência. Podemos compreender pela experiência ou percepção pessoal, ou por meio de análises científicas, que, quaisquer que sejam as experiências que vivemos atualmente, elas são conseqüência de situações precedentes. Nada ocorre sem uma causa; assim como é preciso haver causas ou condições para dar origem a tudo no mundo material, no mundo mental todas as experiências também dependem de causas e condições.

Existem duas principais categorias de causação relacionadas à consciência e ao mundo mental: a primeira é a da causa material ou substancial, que transforma uma coisa em outra; a segunda é a categoria das condições contributivas, que tornam essa causação possível.

A questão do renascimento

O professor budista indiano mestre Dharmakirti ressalta em sua obra, **Cognição válida** (*Pramanavartika*), que: "Algo destituído de caráter mental não pode se transformar em um fenômeno mental". Como discutimos anteriormente, algo puramente físico ou material não pode se tornar mental. Dharmakirti está se referindo ao fato de que, para que ocorra um instante de consciência, é preciso haver outro instante de consciência em seu *continuum* precedente. É assim que conseguimos buscar a causação mental no início da consciência desta vida e, a partir dali, aceitar a existência de uma vida anterior.

Quando me refiro a "tempos sem começo" ou a uma "vida anterior", talvez alguns de vocês já estejam refletindo a respeito. Como posso provar que ocorrem vidas sucessivas? Muitas das antigas tradições indianas espirituais e filosóficas que aceitam o conceito do renascimento, inclusive o budismo, não o fazem com simples afirmativas sem fundamento. Na verdade, essa questão tem sido objeto de várias reflexões na tradição filosófica indiana.

Além do mais, existem diversos casos de crianças que parecem lembrar de vidas passadas, algumas das quais vêm de famílias que nem mesmo acreditam em reencarnação. Naturalmente, precisamos sujeitar essas provas a análises e exames críticos constantes. Ao fazê-lo, contudo, é muito importante lembrar um princípio lógico e fundamental: devemos estabelecer uma diferença entre casos em que não conseguimos encontrar comprovação até o

Devemos estabelecer uma diferença entre casos em que não conseguimos encontrar comprovação até o momento e outros em que encontramos algo que não corresponde à realidade.

momento e outros em que encontramos algo que não corresponde à realidade. Muitos fenômenos que não conseguimos descobrir no momento podem ser constatados no futuro, de modo que, se estamos procurando provar a não existência de algo, não podemos simplesmente afirmar: "Isso não existe porque não conseguimos encontrá-lo". Esse tipo de raciocínio é excessivamente simplista.

Muitos fenômenos se tornam inaceitáveis se não concordarmos com a idéia da continuidade infindável da consciência que renasce repetidas vezes. Poderíamos decidir descrevê-los como "misteriosos" ou "miraculosos", mas isso é apenas um atalho para a ignorância. Significa, na verdade, que não temos explicações para eles. Por outro lado, se aceitarmos a idéia do renascimento e da continuidade da consciência, é possível que não sejamos capazes de convencer totalmente a todos, mas, pelo menos, teremos recursos explicativos muito mais amplos à nossa disposição.

Geralmente, é difícil provar algo a quem jamais vivenciou o fato; por exemplo, imagine-se tentando provar a existência dos sonhos a alguém que alega nunca ter sonhado. Como você agiria para provar que sonhos realmente ocorrem? Da mesma forma, segundo o ponto de vista budista, embora todos tenhamos vivido inúmeras vidas, grande parte da memória associada a uma determinada existência corporificada pára de existir quando o corpo muda. Como não temos a capacidade de lembrar as experiências de vidas passadas, é difícil afirmar categoricamente que elas existem. Entretanto, quando praticantes espirituais altamente evoluídos ingressam em estados mentais meditativos profundos, eles têm acesso a estados mentais muito mais sutis do que os níveis de consciência cotidianos que nós atingimos. Entre os meditadores que conheci pessoalmente, alguns têm lembranças nítidas de experiências passadas, quando em estados meditativos profundos. Em outras palavras, segundo o entendimento budista, é o *continuum* da consciência sutil que ajuda a ligar o estado mental atual às nossas vidas passadas.

ESCRITURAS, RAZÃO E EVIDÊNCIAS EMPÍRICAS

Tendo dito isso, se o conceito do renascimento ou qualquer outro conceito adotado por budistas fosse empiricamente contestado, considerando-se a importância crucial da razão e da evidência empírica no pensamento budista, teríamos que aceitar as novas evidências e rejeitar conceitos anteriormente defendidos. Por exemplo, existem vários textos escriturais sobre o vazio, e alguns, pelo menos na superfície, parecem divergir entre si. Assim sendo, se nos dispuséssemos a confiar totalmente na autoridade representada pelas escrituras a fim de elucidar as posições defendidas por esses vários textos, atingiríamos um impasse. A tradição budista nos faz analisar os diversos textos sobre determinado tema e empregar o raciocínio crítico para distinguir seus diferentes níveis de sutileza. É possível, então, demonstrar a validade de aceitar alguns deles pelo que são, ao mesmo tempo que se reconhece que outros requerem interpretação adicional.

Ao lidar com o mundo cotidiano ou a "realidade convencional", como é chamado nos textos budistas, com certeza serão encontrados vários pontos em comum entre as explicações budistas e científicas. Quando encontramos evidências empíricas que comprovem os fatos, devemos aceitar sua validade, porque estamos envolvidos numa área de análise comum, no entanto isso certamente não significa que os budistas acreditam que todos os fenômenos podem ser compreendidos simplesmente com o uso da capacidade crítica e mente comum. Considerando-se os limites de nossa habilidade cognitiva atual, determinados fatos e fenômenos podem muito bem encontrar-se fora da esfera de nosso conhecimento, pelo menos no momento.

No budismo, portanto, estabelece-se uma diferença entre três classes de fenômenos: uma delas, conhecida como "evidente", abrange os fenômenos que podem ser percebidos diretamente por meio dos sentidos; a segunda é a classe dos "ligeiramente obscuros", fenômenos que podemos compreender por inferência e com a utilização do raciocínio baseado em determinados fenômenos observados e pelo relacionamento de diferentes fenômenos; a terceira categoria, conhecida por "extremamente obscura", refere-se a fatos e fenômenos que se encontram além de nossa capacidade atual de conhecimento. No momento, a compreensão de tais fenômenos somente pode ocorrer por intermédio do testemunho de alguém que os tenha vivido diretamente; a aceitação de sua validade deve ser inicialmente baseada num testemunho convincente de terceiros.

Muitas vezes, apresento uma analogia a fim de ilustrar essa terceira categoria de fenômenos. Quase todos nós sabemos em que dia nascemos, embora não tenhamos sido os primeiros a tomar conhecimento do fato; isso nos foi informado por nossos pais ou outras pessoas, e o aceitamos como uma afirmação válida, pois não há motivos para que nossos pais mentissem e, também, porque acreditamos em suas palavras, visto serem pessoas confiáveis. É verdade que, às vezes, essa regra apresenta exceções. Por exemplo, às vezes, as pessoas aumentam a idade, a fim de qualificar-se para os benefícios de aposentadoria, ou a reduzem quando à procura de emprego. Geralmente, porém, aceitamos o testemunho de terceiros de que tal data é a de nosso nascimento.

Os budistas aceitam essa terceira classe de fenômenos "extremamente obscurecidos" com base na autoridade escritural de Buda. Entretanto, não aceitamos tal autoridade com simplicidade. Não dizemos apenas: "Ah, Buda foi um homem santo e, por isso, acredito em suas palavras". Existem determinados princípios fundamentais envolvidos na aceitação budista da autoridade baseada nas escrituras. Um deles é o princípio das quatro confianças, que geralmente é apresentado da seguinte forma:

> Confie na doutrina, não na pessoa;
> Confie no significado, não nas palavras;
> Confie no significado definitivo, não no provisório;
> Confie em sua mente de sabedoria, não em sua mente comum.

Com base no princípio das quatro confianças, sujeitamos a autoridade de Buda ou de qualquer outro grande mestre à análise crítica quando examinamos a validade de suas afirmações em outras áreas, especialmente as que, em princípio, se prestam à observação empírica e à investigação racional. Além disso, também devemos examinar a integridade dessas figuras de autoridade, a fim de determinar que elas não apresentam motivos ocultos para disseminar falsidades ou fazer as alegações específicas que estamos analisando. É com base nessa avaliação meticulosa que aceitamos a autoridade de terceiros em questões que, no momento, se encontram fora da esfera da compreensão de nossa mente comum.

Em resumo, tenho falado sobre a necessidade de cultivar o *bodhicitta* como chave da nossa prática espiritual para percorrer o caminho para o estado de ser do budismo, uma prática que devemos perseguir durante sucessivas vidas. Para assegurar que tenhamos as condições ideais de atravessar esse caminho, devemos renascer nos mais elevados reinos da existência,[19] uma forma de existência que nos permitirá continuar com as práticas que acabarão por culminar na conquista do total despertar do estado de ser do budismo.

O nível da capacidade inicial

Todas as práticas espirituais essenciais, relacionadas principalmente à realização do renascimento em reinos mais elevados, pertencem ao que Atisha chama de "capacidade limitada".

Estrofe 3

Saibam que aqueles que, quaisquer que sejam os meios,
Buscam para si nada mais além
Dos prazeres da existência cíclica
São pessoas dotadas de capacidade mínima.

Como discutimos anteriormente, a principal maneira de atingir o renascimento nos reinos superiores é a disciplina ética de se abster das dez ações negativas do corpo, fala e mente. Elas abrangem três ações do corpo – matar, roubar e ter má conduta sexual –; quatro ações verbais – mentir, provocar discórdia, proferir ofensas verbais e espalhar boatos –; e três ações mentais – exercer a cobiça, a malevolência e nutrir opiniões equivocadas. Para viver uma vida saudável e ética, é útil lembrar o que conhecemos como as quatro reflexões, ou seja, a preciosidade que representa a vida humana; a inevitabilidade da morte e a incerteza quanto à hora da morte; a infalibilidade da lei da causa e efeito e os mecanismos do carma; e a compreensão da natureza do sofrimento. No que concerne a essa primeira reflexão, alguns mestres tibetanos afirmaram que, quando contemplamos a preciosidade da existência humana, devemos literalmente cultivar a determinação de transformar a vida em algo precioso em si mesma, em vez de permitir que seja desperdiçada ou se torne a causa de sofrimentos futuros.

Para viver uma vida saudável e ética, é útil lembrar o que conhecemos como as quatro reflexões.

Contemplar essas quatro reflexões nos dá coragem para nos envolvermos com seriedade na prática do Dharma, a fim de nos libertamos da possibilidade do renascimento nos reinos inferiores. Tal prática envolve um processo de treinamento da mente não apenas no nível mental, mas também no nível das emoções e ações. Viver uma vida ética não significa adotar um conjunto de normas que nos são impostas de fora, como as leis de um país. Em vez disso, ela consiste em voluntariamente adotar uma disciplina baseada no claro reconhecimento de seu valor. Em resumo, viver uma vida verdadeiramente ética é viver uma vida de autodisciplina. Quando Buda disse que "somos nossos próprios mestres, somos nossos próprios inimigos", ele afirmou que o destino está em nossas próprias mãos.

Tendo dito isso, ao atravessarmos o caminho para a iluminação, precisamos confiar em nossos mestres como guias espirituais. Na verdade, se quisermos desenvolver uma boa compreensão das práticas espirituais essenciais para nos conduzir ao total despertar, é fundamental que encontremos um mestre autêntico e qualificado. Há um ditado tibetano que diz: "A fonte de água pura deve poder ter seu curso seguido até as montanhas cobertas de neve límpida". Da mesma forma, é muito importante assegurar que as práticas que adotamos sejam autênticas e que seu curso possa ser acompanhado por uma autêntica linhagem de transmissão.

Atualmente, existe uma tendência de pegar um pouquinho aqui e ali e formar a própria mistura. Talvez tal medida não represente nenhum problema, mas, se você estiver seguindo uma determinada tradição espiritual, nesse caso o budismo tibetano, é importante garantir a fonte autêntica, a pureza da linhagem e que seu mestre seja uma personificação dessa linhagem.

O nível da capacidade mediana

Nos versos a seguir, Atisha descreve as características dos aspirantes espirituais com capacidade mediana.

Estrofe 4

Diz-se que os que buscam a paz somente para si mesmos,
Afastando-se dos prazeres terrenos
E evitando ações destrutivas,
São dotados de capacidade mediana.

A frase "ações destrutivas" refere-se às aflições que, juntamente com o carma, formam a origem do sofrimento. É por esse motivo que os praticantes pertencentes ao nível da capacidade mediana concentram-se em práticas espirituais voltadas principalmente à eliminação das aflições. Em termos gerais, essas práticas se inserem em duas categorias: uma trata do treinamento da mente, a fim de cultivar um desejo genuíno de libertar-se da existência cíclica, que, muitas vezes, é chamado de cultivo da renúncia; a outra refere-se ao cultivo de um caminho que possibilite atingir a realização desse desejo de renúncia. Para realizar esse treinamento mental, é preciso refletir sobre as falhas da existência cíclica e passar a compreender a cadeia de causação de carma e aflições. Com essas reflexões, cultiva-se o desejo de atingir a libertação e, então, iniciar a jornada que irá torná-la possível.

Em resumo, todas essas práticas estão representadas na estrutura da compreensão e prática das "Quatro nobres verdades", de Buda. Ao ensinar a primeira verdade, a verdade do sofrimento, Buda identificou quatro características da existência, a primeira das quais é a impermanência.[20] Embora a contemplação da impermanência também possa ser encontrada nas práticas espirituais da capacidade inicial ou limitada, no nível da capacidade mediana, a reflexão é diferente. No nível da capacidade inicial, a impermanência é compreendida em função da natureza transiente da vida, isto é, a inevitabilidade da morte, e os aspirantes pertencentes ao nível mediano meditam sobre a impermanência em função de sua transitoriedade, ou seja, a natureza da realidade dinâmica e em constante mudança. Uma profunda compreensão dessa sutil impermanência conduz à compreensão da natureza do sofrimento ou insatisfação que, por sua vez, leva à compreensão da ausência do "eu". O inter-relacionamento dessas sutis compreensões é explicado em vários textos, como os **Quatrocentos versos**, de Aryadeva, e **Cognição válida** (*Pramanavartika*), de Dharmakirti.

Para começar, como compreendemos essa sutil impermanência? Quando observamos os fenômenos que nos cercam no mundo natural, seja uma planta, uma árvore ou mesmo uma montanha, temos a impressão de que eles não mudam e que irão durar por muito tempo; contudo, com o passar do tempo, em alguns casos milhares de anos, até mesmo essas coisas aparentemente duradouras mudam. O fato é que elas mudam de maneira sutil, e temos que aceitar que esse processo de mudança ocorre de momento a momento. Do contrário, se as coisas não passassem por tal mudança momentânea, simplesmente não existiria base para o fato de detectarmos mudanças perceptíveis com o passar do tempo.

A próxima questão é: o que produz essa mudança? O que faz algo deixar de existir? Necessitariam coisas e acontecimentos de uma condição secundária a fim de ocasionar sua cessação ou ele atravessa esse processo de forma natural? Nós mesmos podemos constatar que as coisas não nascem e, depois, deixam de existir devido a um fator secundário. Na verdade, a própria causa que criou a coisa em questão é a que ocasionará sua cessação; poderíamos, então, afirmar que todas as coisas e acontecimentos nascem com a semente para sua cessação, como característica inseparável. Isso sugere que todas as coisas e acontecimentos estão sujeitos ao poder de suas causas e condições e que, dessa forma, são dominadas ou guiadas por outras condições.

No contexto de nossa própria existência condicionada, também sujeita à mesma natureza de mudanças sutis, ela também é regida por causas e condições. Aqui, as causas se referem ao carma e às emoções aflitivas. A origem das aflições, em especial, é a ignorância fundamental que nos faz entender as coisas como sendo inerentemente existentes. Assim sendo, podemos compreender que nossa própria existência condicionada está sujeita ao poder da ilusão, da aflição e da ignorância. Até mesmo a palavra "ignorância" sugere que há algo de errado com ela. Enquanto estivermos sujeitos ao poder dessa força, como poderá haver espaço para uma bondade duradoura? Ao realizarmos esse tipo de reflexão, podemos compreender a natureza de insatisfação que cerca nossa existência condicionada, o que nos permite desenvolver um verdadeiro senso de renúncia.

Podemos entender a afirmação de que compreender a impermanência nos leva a compreender o sofrimento, e que compreender o sofrimento nos leva a compreender a ausência do eu, da seguinte forma: assim que nos damos conta de que nossa existência está sujeita à influência de forças aflitivas, como a ignorância fundamental, também percebemos que somente ao entendermos a ausência do eu – em oposição direta à ignorância fundamental – seremos capazes de eliminar essa ignorância dentro de nós. Conseqüentemente, esse fato nos ajuda a desenvolver a convicção de que precisamos gerar a sabedoria da ausência do eu; sem ela, poderemos ter a impressão de que, em termos práticos, toda essa discussão sobre o vazio e inexistência do eu é de tal modo complexa que passa a ser irrelevante.

Posso contar-lhes uma história para ilustrar esses fatos. Certa vez, ao fazer uma apresentação sobre os **Fundamentos do caminho do meio**, de Nagarjuna, que trata explicitamente do vazio, um aluno sem experiência no aprendizado de grandes tratados fez um comentário a outro colega. Ele disse: "A aula de hoje foi um tanto estranha. Sua Santidade começou com a apresentação do caminho do Buda e construiu o edifício, camada por camada. Então, de repente, ele passou a falar sobre o vazio e a ausência da existência inerente e fez com que todo o edifício, que levou tanto tempo para construir, desabasse". Ele não havia compreendido nada. Existe esse perigo, entretanto, se compreendermos a importância da necessidade de gerar sabedoria sobre o vazio como meio de ocasionar a cessação das aflições, e da ignorância fundamental em especial, poderemos reconhecer o valor de aprofundar nossa realização do vazio. Além disso, como Dharmakirti ressalta em sua **Cognição válida**, emoções como a afetuosa generosidade e a compaixão não podem contestar diretamente a ignorância fundamental; somente podemos superar diretamente nossa ignorância fundamental através do cultivo da compreensão da ausência do eu.

Somente podemos superar diretamente nossa ignorância fundamental através do cultivo da compreensão da ausência do eu.

Essa é uma breve explicação sobre os vários aspectos do treinamento da mente no cultivo do desejo genuíno para atingir a libertação da existência cíclica. O verdadeiro caminho ou meio pelo qual possibilitamos tal libertação é explicado dentro da estrutura dos três treinamentos superiores, aos quais já me referi.

O nível da capacidade suprema

Atisha prossegue a discussão sobre as três capacidades e volta a atenção aos aspirantes espirituais do nível mais elevado.

Estrofe 5

Aqueles que, por meio do sofrimento pessoal,
Realmente querem cessar totalmente
Todo o sofrimento dos outros
São pessoas de capacidade suprema.

Praticantes pertencentes a esse nível usam sua profunda compreensão da natureza do sofrimento, derivada da reflexão sobre sua experiência pessoal, para reconhecer a igualdade fundamental de si mesmos e dos outros, até onde se aplica o desejo de superar o sofrimento. Isso, então, leva ao surgimento de um desejo espontâneo de libertar todos os seres sencientes do sofrimento, um desejo que se torna um estímulo poderoso para participar de práticas espirituais que visam à realização desse objetivo altruísta. A mais importante prática referente a essa meta altruísta é a geração do *bodhicitta,* a aspiração altruísta de atingir o estado de ser do budismo para benefício de todos os seres.

Tradicionalmente, existem dois métodos para gerar esse estado de espírito: um é o método de sete pontos de causa e efeito; o outro é o método de trocar e igualar o eu e os outros. Ambos os métodos ajudam a cultivar um profundo senso de união e poder com as pessoas. O método de sete pontos de causa e efeito relaciona-se a outros seres ao encará-los como objeto de profundo afeto – como se os víssemos como nossas mães – e, então, refletindo sobre a sua admirável bondade. O método de trocar e igualar o eu e os outros vai ainda além, e aprendemos a reconhecer até mesmo nossos inimigos como fonte de imensa bondade. Além disso, nessa abordagem, refletimos sobre as desvantagens do egoísmo e as virtudes de preservar o bem-estar dos outros.

Gerando a mente altruísta do despertar

Depois de compreender mais profundamente esses métodos e de se envolver em sua prática, Atisha nos aconselha a afirmar nossa dedicação à geração formal dessa mente altruísta por meio da participação de uma cerimônia para a geração do *bodhicitta*. Da estrofe número 6 até o final da estrofe 11, Atisha descreve essa cerimônia de geração da mente altruísta.[21]

Estrofe 6

Para os excelentes seres vivos
Que almejam a iluminação suprema,
Vou explicar os métodos perfeitos
Ensinados por mestres espirituais.

Estrofe 7

Olhando para quadros, estátuas e outras coisas mais,
Daquele que é totalmente iluminado,
Relicários e os excelentes ensinamentos,
Ofereça flores, incenso – tudo o que tiver.

Estrofe 8

Com o oferecimento de sete partes
*Da (**Oração da) nobre conduta**,*
Com o pensamento de nunca voltar atrás
Até você atingir a iluminação suprema.

Estrofe 9

E com a sólida fé nas três jóias,
Pousando um joelho no solo
E as mãos unidas,
Em primeiro lugar, busque refúgio três vezes.

Estrofe 10

Em seguida, começando com uma atitude
De amor por todas as criaturas vivas,
Pense nos seres, sem excluir nenhum,
Que sofrem nos três maus renascimentos,
Que sofrem no nascimento, na morte e assim por diante.

Estrofe 11

Então, já que você quer libertar todos esses seres
Do sofrimento da dor,
Do sofrimento e das causas do sofrimento,
Desperte imutavelmente a decisão
De atingir a iluminação.

Da estrofe 12 até o final da estrofe 18, Atisha descreve os grandes benefícios e méritos de gerar o *bodhicitta*, a mente altruísta do despertar.

Estrofe 12

As qualidades de desenvolver
Tal aspiração são totalmente
Explicadas por Maitreya
No **Sutra da hoste dos troncos**.

Estrofe 13

Tendo aprendido os infinitos benefícios
Da intenção de atingir a iluminação total
Ao ler esse sutra ou ouvir o mestre,
Desperte-a repetidamente para torná-la inalterável.

Estrofe 14

O **Sutra requisitado por Viradatta**
Explica totalmente seu mérito.
Nesse ponto, para resumir,
Vou citar apenas três versos.

Na estrofe 14, acima, Atisha apresenta as fontes escriturais para sua descrição dos méritos obtidos pela geração da mente altruísta do despertar.

Estrofe 15

Se possuísse forma física,
O mérito da intenção altruísta
Preencheria totalmente todo o espaço
E chegaria até a superá-lo.

Estrofe 16

Se alguém tivesse que encher de jóias
Tantos campos de Buda quanto há grãos
De areia no Ganges
Para oferecer ao Protetor do Mundo.

Estrofe 17

Isso seria ultrapassado pela
Oferenda de entrelaçar as mãos
E inclinar a mente à iluminação,
Pois isso é ilimitado.

Estrofe 18

Tendo desenvolvido a aspiração pela iluminação,
Aperfeiçoe-a constantemente por meio de um esforço conjunto.
Para lembrar-se disso nesta e também em outras vidas,
Mantenha os preceitos de forma adequada, conforme explicado.

Na estrofe 18, acima, Atisha nos exorta a que nos dediquemos com sinceridade à realização de nosso objetivo absoluto, que é atingir o estado de ser do budismo para benefício de todos os seres. Isso, então, consiste na cerimônia completa de geração de *bodhicitta*, a mente altruísta do despertar.

OS VOTOS BODHISATTVA

A descrição da cerimônia de geração de *bodhicitta* é seguida pela explicação dos votos do *bodhisattva*, que Atisha apresenta nos seguintes versos:

Estrofe 19

Sem o voto da intenção engajada,
Não se desenvolverá uma aspiração perfeita.
Faça um esforço definitivo de assumi-lo
Já que deseja que a iluminação floresça.

Estrofe 20

Aqueles que mantêm qualquer um dos sete tipos
De votos de libertação individual
Têm a convicção [pré-requisito] para
O voto do bodhisattva, não os demais.

Estrofe 21

O Tathagata falou sobre sete tipos
De votos de libertação individual.
O melhor deles é a conduta pura e gloriosa,
Considerada como o voto de uma pessoa totalmente ordenada.

Estrofe 22

Segundo o ritual descrito no
Capítulo sobre disciplina nos **Estágios do *bodhisattva*,**
Faça o voto com um bom
E bem qualificado mestre espiritual.

Estrofe 23

Compreenda que um bom mestre espiritual
É aquele experiente na cerimônia dos votos,
Que vive por eles e tem confiança
E compaixão para conferi-los.

Estrofe 24

Entretanto, no caso de você tentar, mas
Não conseguir encontrar um mestre espiritual,
Explicarei outro procedimento
Correto para tomar os votos.

Estrofe 25

Vou escrever com bastante clareza, conforme explicado
No **Sutra da terra do Buda do ornamento de Manjushri***,*
Como, há muito tempo, quando Manjushri era Ambaraja,
Ele despertou a intenção de se tornar iluminado.

Estrofe 26

Na presença dos protetores,
desperto a intenção de atingir a iluminação total.
Convoco todos os seres como meus convidados
E os libertarei da existência cíclica.

Estrofe 27

Deste momento em diante
Até que eu atinja a iluminação,
Não vou alimentar pensamentos prejudiciais,
Raiva, avareza ou inveja.

Estrofe 28

Vou cultivar uma conduta pura,
Abandonar os maus procedimentos e os desejos
E, com alegria, no voto da disciplina,
Treinar para seguir os budas.

Estrofe 29

Não me mostrarei ansioso para atingir
A iluminação da forma mais rápida,
Mas ficarei para trás até o fim,
Para o bem de um único ser.

Estrofe 30

Purificarei ilimitadas
Terras inconcebíveis
E permanecerei nas dez direções
Para todos os que chamarem meu nome.

Estrofe 31

Purificarei todas as minhas formas
De atividades corporais e verbais.
Purificarei também minhas atividades mentais
E nada farei que não seja virtuoso.

Essa é a maneira formal pela qual geramos o *bodhicitta*, a mente altruísta do despertar. Em seguida, os aspirantes de capacidade suprema devem implementar os ideais dessa intenção altruísta por intermédio da prática das seis perfeições – a perfeição de dar, a disciplina ética, paciência, perseverança, concentração e sabedoria. Juntas, essas seis perfeições condensam a essência da carreira espiritual do *bodhisattva*. Às vezes, as seis perfeições são apresentadas como se fossem dez, e, nesse caso, a sexta perfeição de sabedoria é dividida em quatro: a perfeição da habilidade, a perfeição do poder, a perfeição da aspiração e a perfeição da sabedoria transcendental. Às vezes, as seis perfeições também são condensadas em três disciplinas éticas de um *bodhisattva*, ou seja, a disciplina ética de abster-se de ações negativas, a disciplina ética de participar de ações positivas ou salutares e a disciplina ética de trabalhar para o bem-estar dos outros.

As três disciplinas éticas de um *bodhisattva* não são apenas abrangentes, mas também seguem uma seqüência definida. Para que sejamos eficientes em nossa disciplina ética, a fim de trabalhar por outros seres sencientes, em primeiro lugar devemos ter a habilidade de implementar esse conceito em nossa vida cotidiana. Para tanto, é necessário adotar uma disciplina ética, a fim de reunir virtudes e realizar ações positivas, entretanto, para realizar ações positivas, precisamos primeiro abster-nos das ações negativas do corpo, fala e mente. Essa é a ordem precisa das três disciplinas éticas de um *bodhisattva*.

Anteriormente afirmei que o objetivo de um praticante *bodhisattva* realmente é auxiliar as pessoas, o que é verdade, mas, para atingi-lo, precisamos primeiro cuidar de nosso *continuum* mental. Assim sendo, não é suficiente para um praticante de *bodhicitta* dizer: "Meu único desejo é ajudar os outros e trabalhar por outros seres sencientes" e, nesse processo, negligenciar totalmente a necessidade de purificar sua mente. Isso não funciona.

A PRÁTICA DA TRANQÜILIDADE

Do verso 32 em diante, Atisha explica as práticas pelas quais um *bodhisattva* busca obter o bem-estar para outros seres sencientes. O texto começa com uma exposição da prática da tranqüilidade (*samatha*, em sânscrito) e que é a parte fundamental da prática da perfeição da concentração. É extremamente importante porque, se quisermos realmente trabalhar para o benefício dos outros, devemos desenvolver certo tipo de sensibilidade quanto às necessidades dos seres sencientes e, com base nisso, a capacidade de discernir o nível adequado de ensinamento espiritual mais apropriado ao seu nível. Aqui, Atisha descreve um método para se cultivar uma forma de habilidade que permita perceber o estado mental das pessoas; em outras palavras, clarividência ou precognição. O cultivo da tranqüilidade é um método extremamente eficiente para alcançar essas qualidades de elevada consciência. Em resumo, a prática da tranqüilidade, especialmente a disciplina cercada por tal mente estável e focada, é indispensável ao sucesso da prática espiritual de um *bodhisattva*.

O cultivo da tranqüilidade é um método extremamente eficiente para alcançar qualidades de elevada consciência.

Transformar a mente é algo que só pode ocorrer por meio da reflexão contínua sobre o objeto de nossa meditação. Ao refletir profundamente sobre ele e, então, tentar desenvolver um profundo senso de convicção baseado em nossa compreensão, é possível voluntariamente seguir a disciplina da prática. E é isso que possibilita a transformação. Não podemos esperar que ocorra a transformação da mente simplesmente com a imposição de algum tipo de disciplina ou norma externa. A prática da tranqüilidade refina a mente ao desenvolver a capacidade de manter o foco unicamente em nosso objeto de meditação. Quando combinada com o raciocínio analítico que discutimos anteriormente, essa prática pode gerar a genuína transformação da mente que buscamos; o resultado é uma mente muito mais flexível e poderosa do que nosso estado mental atual, que se distrai tão facilmente.

Quando a prática da meditação está focada principalmente no cultivo e manutenção da disciplina da mente, dizemos que se trata de uma "meditação serena". No entanto, quando optamos por nos envolver com um objeto, com o propósito de explorar profundamente sua natureza, nossa meditação se torna o que chamamos de prática de "meditação da introspecção" (*vipassana*, em sânscrito). É verdade que também podemos empregar o vazio como objeto da meditação serena e introspectiva, mas ela somente é apropriada para praticantes que já realizaram o vazio. Encontramos expressões como "buscar a meditação através da visão filosófica" e "buscando a visão por meio da meditação" nos textos. Elas se referem a dois tipos de praticantes: os que primeiro atingem a realização do vazio e, depois, cultivam a disciplina ou meditação serena focada no vazio; e os que primeiro cultivam a serenidade e, depois, a aplicam a fim de focar o vazio.

A maioria de nós acharia muito difícil primeiro chegar à realização do vazio para, depois, focar o vazio e buscar a serenidade. É possível que sintamos ter uma profunda compreensão intelectual do vazio da existência inerente e que, quando meditamos sobre ela, possamos ter a impressão de que estamos cultivando a disciplina da mente focada no vazio. Mas é muito difícil, num estágio inicial, garantir que a realização do vazio permaneça vibrante e estável. Muitas vezes, os praticantes tendem a perder o vigor de sua compreensão sobre o vazio nos estágios iniciais do processo de cultivar a disciplina da mente. Assim sendo, em termos gerais, em primeiro lugar, cultiva-se a serenidade; em seguida, aprendemos a aplicar a faculdade da disciplina para alcançar a compreensão introspectiva quanto à verdadeira natureza do objeto de meditação escolhido.

Atisha começa sua apresentação da prática da serenidade explicando a necessidade de cultivar essa faculdade e, então, passa a apresentar o método propriamente dito.

Estrofe 32

Quando os que observam os votos
Da intenção altruísta ativa estiverem bem treinados
Nas três formas de disciplina, seu respeito
Por essas três formas de disciplina aumenta,
O que gera a pureza do corpo, da fala e da mente.

Estrofe 33

Portanto, por meio dos esforços no voto feito
Pelos bodhisattvas para a iluminação pura e total,
As acumulações para a iluminação completa
Serão totalmente realizadas.

Estrofe 34

Todos os budas afirmam que a causa para a conclusão
Das acumulações, cuja natureza
É de mérito e exaltada sabedoria,
É o desenvolvimento de uma percepção superior.

Estrofe 35

Assim como um pássaro com asas não desenvolvidas
Não consegue voar no céu,
Aqueles que não possuem o poder da percepção superior
Não podem trabalhar pelo bem dos seres vivos.

Estrofe 36

O mérito obtido em um único dia
Por quem possui uma percepção superior
Não pode ser conseguido nem mesmo em cem vidas
Por quem não tiver tal percepção superior.

Estrofe 37

Os que desejam concluir rapidamente
As acumulações para a iluminação total
Atingirão a percepção superior
Através do esforço, não da preguiça.

Estrofe 38

A percepção superior não ocorrerá
Sem se atingir a serenidade.
Portanto, faça um esforço repetido
Para alcançar a serenidade.

Estrofe 39

Enquanto as condições para alcançar a serenidade
Estiverem incompletas, não se alcançará
A estabilidade meditativa, mesmo se alguém
Meditar energicamente por milhares de anos.

Estrofe 40

Assim, ao serem adequadamente mantidas as condições mencionadas
No **Capítulo da coleção para a estabilização meditativa**,
Volte a mente para qualquer
Objeto virtuoso central.

Estrofe 41a

Quando o praticante atingir a serenidade,
Alcançará também uma percepção superior.

Como Atisha ressalta, a realização da serenidade depende de se reunir primeiro as condições ideais para iniciar a prática. Elas incluem (entre outras) a busca de um local ermo e a escolha de momentos específicos para a prática deliberada e prolongada. Em termos de abordagem, em vez de sessões longas, inicialmente é melhor realizar a prática em várias sessões consecutivas e curtas, durante um período continuado; não é possível esperar alcançar a disciplina da mente com a prática de meditação apenas eventual, quando temos tempo. Além disso, precisamos garantir que estejamos no ambiente adequado e, o que é mais importante, que estejamos levando um estilo de vida apropriado. Com isso, quero dizer que devemos ter tão poucas tarefas e preocupações quanto for possível, a fim de manter uma disciplina ética saudável e seguir também uma dieta equilibrada e saudável.

Em seguida, precisamos escolher um objeto adequado para nossa meditação serena. Não devemos escolher um objeto no nível sensorial, como um objeto visual, mas uma imagem cultivada no nível do pensamento ou da imaginação. Em primeiro lugar, precisamos estabelecer um conhecimento íntimo com o objeto escolhido a ponto de, quando necessário, podermos trazê-lo à mente sem mesmo ter que olhar para ele. Por exemplo, uma imagem do Buda é um excelente objeto para a meditação serena. Escolha uma imagem de Buda – uma pintura ou escultura – não muito grande, nem muito pequena, de preferência de até cinco centímetros de altura. Tente também imaginá-la radiante e poderosa, para que fique solidamente assentada. Tendo invocado essa imagem, concentre sua mente somente nela e cultive a serenidade dessa maneira. Depois de aprender a trazer o objeto à lembrança, esforce-se ao extremo para conservar o foco de sua atenção no objeto escolhido. Aqui, dois elementos são cruciais: um deles é a habilidade de conservar o foco, e o outro é a clareza e a prontidão de sua mente. Ambos os elementos devem estar presentes. Sem a estabilidade, que lhe permite manter-se focada, a mente irá se distrair com pensamentos e objetos alheios. Por outro lado, se não houver clareza e prontidão em sua mente, mesmo que o foco seja bom, sua atenção deixará a desejar.

Precisamos nos manter vigilantes em relação aos dois principais obstáculos à meditação – o excitamento mental e a lassidão mental. O excitamento mental se manifesta na forma de várias distrações e enfraquece nossa capacidade de manter o foco, a lassidão mental destrói nossa capacidade de manter a clareza e a prontidão. Portanto, precisamos nos esforçar para desenvolver a sensibilidade a fim de distinguir o surgimento desses dois eventos mentais. Nossa experiência pessoal mostra que a lassidão mental surge quando a mente está um pouco relaxada ou triste; para superar esse estado, precisamos encontrar uma forma de elevar nosso estado de espírito. Em contraste, quando nossa mente está excitada ou agitada demais, devemos encontrar meios para fazê-la voltar a um estado mais tranqüilo; em outras palavras, estamos procurando estabelecer um estado mental equilibrado, nem excitado, nem relaxado demais.

Também podemos cultivar a serenidade ao transformar nossa própria mente no objeto de meditação, como no caso da prática do "grande selo" (*mahamudra*). Para tanto, não é suficiente apenas definir a mente como um fenômeno luminoso e inteligente; também precisamos de uma compreensão experimental do que a mente representa.

Aqui está um método útil para atingir essa compreensão da natureza da mente: primeiro, tentem interromper todas as lembranças e pensamentos relacionados ao passado e, então, cessar todos os pensamentos que se projetam no futuro, como expectativas, medos, preocupações. Uma vez eliminados esses pensamentos enredados no passado e no futuro, tentem conservar a consciência da experiência presente e procurar localizar a lacuna existente entre os pensamentos. Vocês irão experimentar uma espécie de vácuo, mas não esqueçam que tal estado não é o mesmo que o "vazio" de que falamos anteriormente, no contexto da natureza absoluta da realidade. Em nossas experiências cotidianas, a mente está repleta de conceitos, até mesmo na ausência de quaisquer experiências sensoriais óbvias. É quase como se a mente estivesse envolta em camadas de pensamento conceitual. Aqui, estamos tentando remover essas camadas para que possamos ter uma experiência da mente tal qual ela é, natural e espontânea. Por meio da prática contínua e prolongada, podemos ampliar a experiência do vazio entre os pensamentos por períodos cada vez mais longos, até que possamos atingir um verdadeiro senso do que significa a expressão "a mente é luminosa e inteligente". Assim que atingirmos esse estágio, poderemos escolher essa luminosidade como objeto de meditação.

Ao iniciarmos a prática do cultivo da disciplina da mente, iremos constatar que, no estado normal de consciência, os momentos de distração em relação ao objeto escolhido são muito mais freqüentes do que os de concentração. Mas, com perseverança, essa situação irá se reverter lentamente, de modo que, aos poucos, poderemos experimentar mais momentos de concentração unidirecional do que de distração. E, à medida que prosseguimos, começaremos a aperfeiçoar nossas faculdades de atenção e vigilância, faculdades que nos ajudam a superar até mesmo níveis sutis de excitamento e lassidão mental. Por fim, atingiremos um ponto em que poderemos reter o foco no objeto de meditação escolhido por um período prolongado, possivelmente algumas horas, sem qualquer distração. Esse elevado estado de absorção meditativa conduz à flexibilidade física e mental, além de uma sensação de êxtase ou bem-aventurança por se ter atingido a perfeita flexibilidade do corpo e da mente. Nesse ponto, o aspirante atingiu a verdadeira serenidade (*shamatha*).

A sabedoria do vazio

Com base na conquista bem-sucedida da serenidade, precisamos, então, cultivar a sabedoria do vazio. Nos versos a seguir, Atisha apresenta a prática de cultivar a "meditação da introspecção", que é a essência da perfeição da sabedoria.

Estrofe 41b

Contudo, sem praticar a perfeição da sabedoria,
As obstruções não terminarão.

Estrofe 42

Assim, a fim de eliminar todas as obstruções
À libertação e à onisciência,
O praticante deve cultivar continuamente
A perfeição da sabedoria com meios hábeis.

Estrofe 43

Sabedoria sem meios hábeis
E, também, meios hábeis sem sabedoria
São fatos citados como sendo um cativeiro,
Portanto, não desista de nenhum dos dois.

Estrofe 44

Para eliminar dúvidas sobre o que
Sejam sabedoria e meios hábeis,
Vou estabelecer uma clara diferença
Entre ambos.

Estrofe 45

Além da perfeição da sabedoria,
Todas as práticas virtuosas,
Como a perfeição da generosidade,
São descritas como meios hábeis pelos vitoriosos.

Estrofe 46

Aqueles que, sob a influência da familiaridade
Com os meios hábeis, cultivarem a sabedoria
Atingirão rapidamente a iluminação,
Não somente por meio da meditação sobre a ausência do eu.

Como existem vários tipos de sabedoria, como os que pertencem às verdades convencionais, no verso seguinte Atisha identifica o que para ele significa sabedoria no contexto do aspirante de capacidade suprema.

Estrofe 47

Compreender o vazio da existência inerente
Por meio da compreensão de que agregados, constituintes
E fontes não são produzidos
É descrito como sabedoria.

Atisha não está afirmando que esses fenômenos, como os agregados, constituintes e fontes, não possuem origem ou que não nascem como resultado de causas e condições; em vez disso, ele está rejeitando o conceito de que eles possuem algum tipo de existência intrínseca, independente e objetiva. Quando declaramos que determinados efeitos são resultado de certas causas, nós o fazemos no nível da verdade convencional, em outras palavras, dentro da estrutura da realidade convencional. No entanto, quando investigamos mais a fundo a natureza absoluta, como discutimos anteriormente, a própria ausência de constatação de coisas e eventos nos leva a deduzir que sua natureza absoluta é o vazio. Esse é o significado que Atisha dá à sabedoria que compreende o vazio. Não devemos cometer um erro e pensar que existe algum tipo de vazio universal, que é a natureza absoluta de tudo, é independente de tudo e, no entanto, existe em algum plano em e por si mesmo. O vazio somente pode ser compreendido em relação a coisas e eventos, inclusive seres sencientes. Buscamos, aqui, compreender se as coisas existem ou não na forma em que costumamos percebê-las ou se, num nível básico, elas são destituídas de realidade intrínseca. Assim sendo, nossa investigação sobre o vazio e a subseqüente compreensão daí obtida não pode ser separada de nosso mundo cotidiano de multiplicidade e diversidade. É por esse motivo que Nagarjuna faz a seguinte declaração em seus **Fundamentos do caminho do meio**:

> Sem dependência do convencional,
> Não se pode ensinar o significado do absoluto.[22]

É crucial compreender totalmente o significado dessa declaração. Em resumo, Nagarjuna afirma que atingimos a compreensão do vazio em relação a todas as coisas e eventos que têm relação direta com nossas experiências de sofrimento e felicidade.

Como mencionei anteriormente, muitos textos sobre o vazio afirmam que a compreensão da origem dependente é o meio mais poderoso para alcançar o conhecimento sobre o vazio. Quando, como resultado da prática da meditação profunda sobre o vazio, deixamos de encontrar a realidade intrínseca do objeto no qual concentramos nosso interesse, não concluímos a partir daí que o objeto em questão simplesmente não existe. Em vez disso, deduzimos que, visto que nossa análise crítica não conseguiu encontrar a verdadeira e independente existência do objeto, sua existência ou realidade deve ser compreendida somente como origem dependente. Portanto, deve realmente ocorrer uma verdadeira compreensão do vazio. Assim que refletirmos sobre a compreensão do vazio da existência inerente, essa mesma compreensão irá indicar que as coisas existem. É quase como se, quando ouvíssemos a palavra "vazio", devêssemos instantaneamente reconhecer sua implicação, que é a da existência por meio da geração dependente; portanto, diz-se que a verdadeira compreensão do vazio é aquela em que ele é entendido em função da geração dependente.

Um ponto de vista semelhante é apresentado por Nagarjuna em seu texto **Guirlanda preciosa**, em que explica o vazio ou a abnegação na "pessoa" por um processo de análise redutiva. Tal processo envolve uma análise de como a pessoa não é o elemento terra, tampouco o elemento água, fogo, etc. Quando esse processo redutivo deixa de encontrar alguém chamado "pessoa", que é independente desses vários elementos, e também deixa de identificar uma pessoa com qualquer um desses elementos, Nagarjuna apresenta a questão: onde, então, está a pessoa? Ele não conclui imediatamente dizendo: "Portanto, a 'pessoa' não existe"; em vez disso, ele se refere ao conceito da geração dependente e afirma que: "A pessoa, portanto, depende da agregação dos seis elementos". Assim, ele não nega o fato de que a "pessoa" existe, é real e vive experiências de dor e prazer.

Segundo minha experiência, sei que existo; sei que tenho experiências não ilusórias de dor e prazer, no entanto, quando procuro a entidade chamada "ego" ou "eu" entre os vários elementos que, juntos, constituem minha existência, não encontro nada que pareça possuir uma realidade independente e intrínseca. É por esse motivo que Nagarjuna conclui que podemos compreender a existência de uma pessoa somente em função do princípio da geração dependente.

Nesse ponto, algumas pessoas podem apresentar a seguinte objeção: "afirmar que todos os fenômenos são destituídos de existência inerente não é o mesmo que dizer que nada existe?" Como resposta, Nagarjuna afirma que, quando falamos do "vazio", não nos referimos simplesmente ao nada; ao contrário, quando citamos o "vazio", estamos falando de geração dependente. Dessa forma, o ensinamento de Nagarjuna sobre o vazio transcende os extremos do absolutismo e niilismo. Ao rejeitar a existência intrínseca e independente, sua opinião transcende o absolutismo e, ao afirmar que coisas e eventos existem apesar de suas gerações dependentes, ele transcende o extremo do niilismo. Essa transcendência dos dois extremos do absolutismo e niilismo representa o verdadeiro "Caminho do meio".

Talvez seja útil refletir um pouco sobre os diferentes níveis de significado do princípio da geração dependente. Em um nível, a geração dependente se refere à natureza das coisas e eventos como a entendemos em termos de sua dependência em relação a causas e condições; em outro, essa dependência pode ser mais bem compreendida em termos de uma dependência mútua. Por exemplo, existe uma mutualidade de conceitos entre, digamos, longo e curto, no qual algo é colocado como "longo" em relação a algo que é "curto". Da mesma forma, coisas e eventos são formados por partes e um todo; o todo é constituído das partes, e as partes são apresentadas em relação ao todo.

Em ainda outro nível, o princípio da geração dependente relaciona-se ao sujeito, que é a mente conceitual que cria designações, nomes, rótulos. Como já discutimos rapidamente antes, quando colocamos um rótulo ou nome em algo, geralmente assumimos que o objeto rotulado tenha algum tipo de existência verdadeira e independente, no entanto, quando procuramos a verdadeira existência ou essência da coisa em questão, nunca a encontramos. Concluímos, portanto, que, embora as coisas existam num nível convencional, elas não são dotadas de uma realidade absoluta e objetiva. Em vez disso, sua existência só pode ser apresentada como um mero nome, designação ou rótulo. Segundo Nagarjuna, esses três níveis de significado no princípio da geração dependente permeiam todo o espectro da realidade.

Estrofe 48

Algo existente não pode ser produzido,
Tampouco algo não existente, como uma flor celeste.
Esses erros são ambos absurdos e, assim,
Nenhum dos (outros) dois irá ocorrer.

Na estrofe 48, Atisha alude a uma estrofe das **Setenta estrofes sobre o vazio**, em que encontramos a discussão sobre a causação. Nesse texto, Nagarjuna ressalta que, se coisas e eventos possuem existência intrínseca, a causação não terá nenhum papel a desempenhar; isso significa que não podemos afirmar que coisas e eventos nascem como resultado de causas e condições. Por outro lado, afirma Nagarjuna, se eles forem totalmente inexistentes, também não há sentido em sua causação, pois eles serão como uma "flor celeste". Pois, se algo não existe, como podemos falar de seu nascimento?

Nagarjuna está defendendo um ponto de vista simples, ou seja, quando falamos de causa e efeito, falamos no nível das aparências ou da realidade convencional. Por exemplo, quando dizemos que esse filho nasceu daquele pai ou que esses brotos nasceram daquelas sementes, estamos declarando simplesmente que algo dá origem a outra coisa. Não estamos fazendo tais afirmações causais com base na busca da realidade absoluta dessas coisas que, como já vimos, é o vazio.

Atisha desenvolve esse importante ponto de vista filosófico apresentado por Nagarjuna nos seguintes versos:

Estrofe 49

Uma coisa não é produzida a partir de si mesma,
Nem a partir de outra e, tampouco, de ambas.
Também não sem causas, assim
Não existe inerentemente por meio de sua própria entidade.

Estrofe 50

Além disso, quando todos os fenômenos são examinados
Para verificar se são um ou muitos,
Eles não são vistos como existindo por sua própria entidade,
E, assim, determina-se que não são inerentemente existentes.

Em relação a este último verso, podemos questionar se coisas e eventos existem como entidades singulares ou múltiplas e, além do mais, se as características de singularidade e pluralidade são inerentemente reais. Se concordarmos com esse fato, imediatamente nos veremos diante de problemas insuperáveis. Pois, se coisas e eventos possuírem uma identidade inerentemente real, passa a ser difícil justificar o relacionamento que observamos entre causa e efeito. Em resumo, a questão é: como podemos compreender, de forma coerente, um relacionamento causal entre duas entidades independentemente reais e distintas?

Estrofe 51

O raciocínio das **Setenta estrofes sobre o vazio**,
Do **Tratado do caminho do meio** *e outros mais*
Explica que a natureza de todas as coisas
É determinada como sendo o vazio.

Estrofe 52

Como existem muitas passagens admiráveis,
Não as citei aqui,
Mas somente expliquei suas conclusões
Para o propósito de meditação.

Estrofe 53

Assim, o que quer que seja meditação
Sobre a ausência do eu, na qual não se observa
Uma natureza inerente nos fenômenos,
É o cultivo da sabedoria.

Depois que passamos a compreender profundamente como todos os fenômenos são destituídos de existência inerente, trocamos o foco de nossa análise pela própria mente que compreende o vazio. Nesse ponto, descobrimos que a mente que compreende o vazio partilha a mesma natureza absoluta: ela, também, é destituída de existência inerente. Conforme Atisha explica nesse texto, essa realização do vazio, tanto do objeto quanto do sujeito, acaba por nos fornecer uma compreensão não conceitual do vazio.

Estrofe 54

Assim como a sabedoria não vê
Uma natureza inerente nos fenômenos,
Tendo analisado a própria sabedoria através do raciocínio,
Meditem sobre isso de maneira não conceitual.

Nos versos seguintes, Atisha explica por que é importante cultivar tal sabedoria não conceitual.

Estrofe 55

A natureza da existência no mundo,
Que surgiu da conceitualização,
É a conceitualidade. Então, a eliminação
Da conceitualidade é o mais alto estado do nirvana.

Estrofe 56

A maior ignorância da conceitualidade
Faz-nos cair no oceano da existência cíclica.
Descansando na estabilização não conceitual,
A não conceitualidade espacial claramente se manifesta.

Estrofe 57

Quando bodhisattvas contemplam não conceitualmente
Esse excelente ensinamento, eles transcendem

A conceitualidade, tão difícil de ser superada,
E eventualmente atingem o estado não conceitual.

Estrofe 58

Tendo averiguado através da escritura
E através do raciocínio que os fenômenos
Não são produzidos, nem existem inerentemente,
Eles meditam sem conceitualidade.

Estrofe 59

Tendo, assim, meditado sobre a realidade suprema,
Afinal, após alcançar o "calor" e tudo o mais,
Aquele "muito feliz" e os outros terão atingido
Em breve, o estado iluminado de ser do budismo.

O termo "calor" refere-se ao caminho da preparação, um estágio em que o praticante do bodhisattva atingiu um nível avançado de realização do vazio, e a expressão "muito feliz" é o nome dado ao primeiro estágio (*bhumi*) do caminho do *bodhisattva*.

O caminho do tantra

Da estrofe 60 em diante, Atisha apresenta um resumo do caminho do Tantra:

Estrofe 60

Se você deseja criar com facilidade
As acumulações para a iluminação
Por meio de atividades de pacificação,
Crescimento, entre outras, conquistadas pelo poder do mantra.

As quatro atividades de pacificação, crescimento, influência e ações iradas são um exemplo dos recursos mais significativos que podem ser encontrados na doutrina tântrica para obter o bem-estar de outros seres sencientes.

Estrofe 61

E também por meio da força das oito
E outras admiráveis realizações como o "bom pote",
Se você quiser praticar o mantra secreto,
Conforme explicado nos tantras de ação e desempenho.

Estrofe 62

Então, a fim de receber a iniciação do preceptor,
É preciso agradar um excelente mestre espiritual
Por meio de serviços, oferendas valiosas ou coisas semelhantes
E também por meio da obediência.

Estrofe 63

Por meio da total concessão do preceptor na iniciação
Por um mestre espiritual satisfeito,
Você é purificado de todos os maus procedimentos
E se torna apto a alcançar poderosas realizações.

Na estrofe 64, Atisha suscita uma questão sobre como praticantes ordenados devem se relacionar com determinados aspectos da prática Vajrayana, como contar com consortes, o que superficialmente entra em conflito com os códigos de ética de um monge ordenado. Por exemplo, ele explica que os aspirantes que são membros ordenados não devem tomar literalmente as iniciações "secretas" e de "sabedoria". Atisha explica que é crucial que tais praticantes compreendam a conveniência de aplicar os aspectos específicos do caminho Vajrayana à própria situação, para que sejam praticados de acordo com o nível das realizações espirituais interiores do próprio praticante.

Estrofe 64

*Como o **Grande tantra do Buda Primordial***
Proíbe isso enfaticamente,
Os que observam uma conduta pura não devem
Realizar a iniciação secreta e de sabedoria.

Estrofe 65

Se aqueles que observam a prática austera do puro contato
Fossem realizar essas iniciações,
Seu voto de austeridade seria prejudicado
Por fazer o que é proscrito.

Estrofe 66

Isso cria transgressões que são uma derrota
Para os que observam a disciplina.
Visto que é certo que irão iniciar um mau renascimento,
Eles nunca obterão realizações.

Estrofe 67

Não há falha se quem recebeu
A iniciação do preceptor e tem conhecimento
Da realidade suprema ouvir ou explicar os tantras,
E executar rituais de oferenda queimada
Ou ofertar presentes e outras coisas mais.

Na estrofe 68, o autor apresenta o seguinte cólofon:

Estrofe 68

Eu, o Velho Dipamkarashri, tendo visto
Sua explicação no sutra e em outros ensinamentos,
Apresentei essa explicação concisa
A pedido de Jhangchup Wö.

O texto termina com a seguinte declaração:

Assim concluímos a **Lâmpada sobre o caminho para alcançar a iluminação**, *do grande mestre Dipamkarashrijnana. Ele foi traduzido, revisado e finalizado pelo próprio eminente abade e pelo grande revisor, tradutor e monge totalmente ordenado Geway Lodrö. Esse ensinamento foi escrito no Tempo de Tholing, em Zhang Zhung.*

Com essas palavras, concluo a apresentação da transmissão da **Lâmpada sobre o caminho para alcançar a iluminação**, de Atisha, com alguns comentários sobre os pontos-chave. Não posso alegar que eu tenha obtido quaisquer realizações profundas a partir das práticas, contudo vocês podem usar o que expliquei aqui como uma forma de ajudar a abrir mais portas no caminho budista e, através de estudos e práticas adicionais, aprofundar sua própria compreensão. Como muitos de vocês na platéia são membros de centros budistas locais, podem pedir explicações mais elaboradas e detalhadas a seus mestres sobre esse importante texto budista, para que possam aprofundar sua própria compreensão sobre o caminho para a iluminação.

5 Conversas com os jovens

Bom-dia. Essa hora do dia é boa para encontrá-los, pois, pelo menos para mim, há um frescor admirável na manhã, tanto físico quanto mental. Em contraste, o final da tarde é o pior horário para mim. Reuniões matinais, especialmente com jovens como vocês, me deixa ainda mais revigorado. Assim, estou muito contente por ter essa oportunidade maravilhosa de passar algum tempo com vocês hoje.

Sou tibetano e venho de um país que alguns chamam de "o teto do mundo". Geograficamente, o Tibet fica bastante isolado e, no passado, muitos tibetanos preferiam o isolamento. Vocês sãos australianos; na maioria, brancos. [Risos na platéia.] Acho que, de certa forma, vocês são recém-chegados a este lugar. [Mais risos.] Assim, de certo modo, podemos dizer que tibetanos e australianos são muito diferentes uns dos outros. A paisagem, a cultura, a religião e o modo de vida são diferentes, mas, na verdade, essas diferenças são insignificantes. O importante é que todos somos seres humanos e, nos níveis mental, emocional e sensorial, todos vivenciamos as mesmas experiências. Desde o nascimento, todos nós temos o direito de viver uma vida feliz e bem-sucedida e também temos o potencial de criar essa vida para nós. Isso ocorre porque todos podemos experimentar paz de espírito, satisfação e felicidade interiores, porém depende muito da atitude mental que adotamos e que temos a liberdade de desenvolver como nos convier. Assim sendo, sejamos ricos ou pobres, instruídos ou incultos, todos temos o mesmo potencial. Acho que é importante refletir nesses pontos que todos temos em comum.

Usando a educação com sabedoria

O tempo está em constante movimento, e nada pode pará-lo. Depende totalmente de nós desperdiçá-lo ou usá-lo adequadamente. A juventude é o período destinado ao estudo, e a maioria de vocês deve estar totalmente empenhada em obter uma boa educação. Talvez haja alguns alunos preguiçosos entre vocês, como eu fui. Quando jovem, tive que estudar muito, mas também era bastante preguiçoso. Na verdade, mesmo hoje, penso em mim como uma pessoa um tanto preguiçosa. [Risos na platéia.] Assim, alguns de vocês talvez prefiram estar aqui hoje do que numa sala de aula.

Acredito que um dos objetivos da educação é ajudar a reduzir nossa ignorância. Por exemplo, na verdade, tudo está interligado. Mas costumamos analisar as coisas como separadas ou isoladas umas das outras, e essa visão afeta as decisões que tomamos e como reagimos às situações. Se observarmos nosso mundo com atenção, veremos o quanto somos interdependentes em termos econômicos, políticos, ambientais e sociais. Assim sendo, devemos tentar enxergar o mundo de forma holística, com base no reconhecimento dessa nova realidade.

A educação moderna, porém, nem sempre estimula uma abordagem holística. Em vez disso, ela favorece a especialização, que muitas vezes atua a partir do pressuposto de que coisas e eventos são isolados ou independentes uns dos outros. É fato que a especialização é necessária, e todos nos beneficiamos do fato de ter pessoas na sociedade bem treinadas e que possuem conhecimento específico em determinadas áreas, mas, ao mesmo tempo, como sociedade, devemos nos empenhar em manter um ponto de vista mais amplo.

Como sociedade, devemos nos empenhar em manter um ponto de vista mais amplo.

A educação é semelhante a um instrumento que, dependendo de quem o usa, pode ser empregado de modo construtivo ou destrutivo. Acho que um dos objetivos importantes da educação é treinar nossos corações e incutir em nós um sentimento de preocupação e troca com as pessoas. Outra função importante da educação é nos ensinar a conservar uma atitude sincera e honesta em todos os momentos. Esse tipo de educação voltada para o coração atende, na verdade, aos nossos melhores interesses, pois todos pertencemos à humanidade. Se a humanidade estiver feliz, também seremos felizes e colheremos os benefícios. Se a humanidade e o meio ambiente forem prejudicados, também seremos perdedores e enfrentaremos as conseqüências negativas. Os seres humanos são animais sociais e, assim, nossa felicidade, o sucesso e nossa própria sobrevivência dependem dos outros.

Abrindo a porta interior

Muitas vezes, as pessoas acham que praticar a tolerância, a bondade e a compaixão é bom para quem as recebe, mas que, quando se trata de alcançar nossas próprias metas, devemos nos colocar em primeiro lugar. Acho que esse ponto de vista é incorreto; na verdade, o maior benefício vai para quem pratica a bondade do coração e a compaixão, em vez de ir para quem as recebe.

Se vocês pensarem somente em si mesmos, sem se importarem com os outros, acabarão sendo invadidos por profundos sentimentos de insegurança, medo e incerteza. Sua porta interior irá se fechar e passará a ser muito difícil comunicar-se com seus semelhantes. Mas, se pensarem mais nos outros, forem amigáveis, leais e abertos, irão sentir menos insegurança, medo e dúvidas. Embora algumas pessoas maldosas possam querer aproveitar-se de vocês, em geral as pessoas reagem bem a sentimentos verdadeiros e, como resultado, a vida de vocês será muito mais feliz. Se vocês experimentarem abrir o coração com uma atitude mais compassiva em relação aos outros, irão constatar que sua porta interior também se abrirá e que vocês conseguirão se comunicar com mais facilidade e fazer amigos verdadeiros. É tolice mostrar uma expressão carrancuda e séria e ainda esperar uma atitude amistosa por parte das pessoas; vocês precisam tomar a iniciativa e criar uma atmosfera feliz e agradável. Se se mostrarem abertos, sinceros e verdadeiros, definitivamente irão colher os benefícios. Portanto, dia e noite, até mesmo nos sonhos, tentem conservar uma atitude calorosa; ela lhes trará sucesso e uma mente e um coração tranqüilos, além de atrair mais amigos verdadeiros. Então, quando concluírem os estudos e participarem da sociedade, as qualidades que desenvolveram irão torná-los mais fortes e saudáveis – fortes no sentido de uma verdadeira força interior.

Embora várias tradições religiosas desempenhem um papel importante na tarefa de ajudar as pessoas a desenvolverem um coração afetuoso, isso não significa que a religião seja um elemento essencial. Não é isso. Vocês podem ser muito sensíveis, agradáveis, felizes e bem-sucedidos mesmo sem adotar uma crença religiosa, mas não alcançarão a felicidade e o sucesso sem as boas qualidades humanas de amor, compaixão, senso de fraternidade, tolerância, autodisciplina e contentamento; portanto, quer vocês sejam ou não religiosos, dêem mais atenção aos valores humanos básicos, como cuidar do bem-estar dos outros, pensar nele e cultivar um senso de integração com toda a humanidade.

Aprendendo com a experiência

Durante muitos anos, pensei em mim como sendo jovem, mas hoje, definitivamente, não o sou mais, entretanto ainda consigo me lembrar de algumas das características da juventude, como o excitamento, o grande entusiasmo, a impaciência, as elevadas expectativas e, às vezes, certa impulsividade.

Aprendi algumas coisas com minha juventude que gostaria de partilhar com vocês. Primeiro, é muito importante analisar com cuidado uma situação antes de tomar decisões e, se possível, pedir a opinião de terceiros, em vez de decidir de modo arrogante e impulsivo. Quando me encontrava no Tibet, às vezes discutia assuntos importantes com alguns de meus auxiliares, inclusive faxineiros, que me ofereceram algumas ótimas sugestões.

Segundo, tentem não criar expectativas em excesso, pois, na realidade, as coisas não são fáceis e, muitas vezes, enfrentamos obstáculos. Um número menor de expectativas permitirá que vocês se sintam menos desestimulados por barreiras, deixando-os capazes de perseverar com trabalho ou esforços para alcançar seu objetivo. Há um ditado tibetano que diz: "Nove falhas, nove esforços". Esse tipo de atitude é importante na vida.

Então, depois de assumido um compromisso ou tomada uma decisão, mantenham-se firmes e autoconfiantes. Se vocês já analisaram cuidadosamente a situação e tomaram uma decisão com base nessa análise, podem prosseguir com confiança total e otimismo. Acredito que uma atitude otimista é fundamental. Se os problemas que encontrarem os fizerem perder a autoconfiança e tornar-se pessimistas, até mesmo metas que poderiam ser atingidas com facilidade irão parecer difíceis de realizar, pois vocês perderam sua força interior; em contraste, manter uma atitude otimista acabará por ajudá-los a superar as dificuldades.

Acredito que uma atitude otimista é fundamental.

Acho que há dois tipos de felicidade: uma está relacionada a sentimentos de prazer e conforto; a outra se origina da satisfação física ou mental que conquistamos ao superar obstáculos e dificuldades com êxito. Acho que esse segundo tipo é o mais valioso, pois nos traz uma profunda satisfação interior e um senso de realização.

Olhando para o futuro

Gostaria de repetir o quanto é boa a oportunidade de encontrar tantos jovens reunidos. Vocês são a nova geração, pertencem ao século 21. Nasci em 1935, de modo que pertenço ao século 20, que descrevo como um século de derramamento de sangue e violência. Acho que há muitas indicações de que o século atual pode ser mais pacífico, equilibrado e que as pessoas poderão encontrar uma forma de lidar com problemas inevitáveis com mais sabedoria e paciência, com uma visão mais ampla.

Nesse contexto, menciono uma ocasião em que estive na Inglaterra e tive uma audiência com a Rainha Mãe, com 96 anos de idade na época. Como ela havia vivido durante todo o século 20, perguntei-lhe se achava que o mundo se tornara melhor ou pior. Sem hesitação, ela me disse que o mundo havia melhorado e justificou sua opinião: ela disse que, quando era jovem, ninguém se preocupava seriamente com violações dos direitos humanos ou direitos de autodeterminação, ou liberdade religiosa, pelo menos não na Inglaterra. Mas ela percebera que, naquela época, as pessoas em todos os lugares nutriam uma profunda preocupação e interesse por essas questões.

Além disso, se compararmos nosso modo de pensar nos dois séculos, acredito que as experiências realmente dolorosas vividas no século 20 tornaram a humanidade, em geral, mais madura. Isso nos forneceu a base para construir um mundo melhor, mais harmonioso, amistoso e pacífico; portanto, hoje os jovens devem aproveitar a oportunidade e tentar criar um mundo feliz.

ESTUDANTE: Sua Santidade, que conselhos o senhor daria aos estudantes para que encontrem a paz interior?

DALAI LAMA: Ah, isso é difícil. Eu não sei. Talvez mais feriados sejam uma fonte de satisfação ou paz interior. [Aplausos e risos na platéia.]

Há um ditado no Tibet que diz: "O estudioso enfrenta cansaço enquanto estuda, mas os frutos de seu trabalho são mais preciosos que ouro". Se você pensar no valor de reunir conhecimentos para um futuro distante, terá entusiasmo renovado para aprender coisas novas, dia após dia. Essa atitude também lhe proporciona um senso de objetivo e evita o tédio e a fadiga.

Acho que é saudável haver um senso de competição na educação, contanto que seja o tipo de competitividade que promova a autoconfiança e a determinação. Podemos adotar uma atitude que nos faça dizer: "Vamos seguir em frente", o que nos fará lutar para nos sobressairmos. Mas o outro tipo de competitividade que produz sentimentos negativos em relação a terceiros e um desejo de impedi-los de vencer deve ser evitado, pois somente cria mais infelicidade e, até mesmo, inimigos.

É inútil mantermos um excesso de expectativas em qualquer campo, inclusive na educação e no desenvolvimento espiritual. Muitas vezes, enfrentamos obstáculos na vida. Se nossas expectativas de sucesso forem muito elevadas, os obstáculos que vamos enfrentar irão nos desestimular e fazer com que percamos a determinação. Portanto, devemos reconhecer, desde o início, que adquirir uma educação requer tempo, esforço e que alguns obstáculos irão surgir. Você pode dizer a si mesmo: "Enquanto meu objetivo for adequado e minha motivação for equilibrada, vou prosseguir, não importa que obstáculos ou impedimentos eu encontre no caminho".

Como mencionei anteriormente, a combinação do intelecto e do coração afetuoso é um dos fatos mais preciosos em relação ao ser humano. Se você pensar mais a esse respeito, poderá gradativamente tornar-se uma pessoa mais delicada e tranqüila. Então, será mais fácil fazer mais amigos e, dia após dia, irá receber mais sorrisos. E, talvez, no Natal, você até ganhe mais presentes! [Risos na platéia.]

ESTUDANTE: Sua Santidade, o senhor poderia explicar se existe uma ligação entre a paz mundial e a interior? Isto é, que papel desempenha a espiritualidade no quadro geral da justiça social e das mudanças sociais?

DALAI LAMA: Certamente acredito que a paz mundial esteja intimamente ligada à paz interior. Acho que desenvolver nossa própria paz interior é uma forma de conquistar a paz mundial, a começar pelo indivíduo e, depois, gradativamente, formar famílias, comunidades e lideranças pacíficas. Muitas vezes, responsabilizamos os líderes, mas acho que a liderança é fruto da sociedade. Sociedades que adotam atitudes extremamente individualistas e metas irresponsáveis provavelmente têm líderes que concordam com elas e as promovem. Portanto, a mudança deve começar com os indivíduos.

No século 20, tivemos exemplos de alguma paz entre as nações, mas acho que essa paz era, na verdade, nada mais que a ausência de guerras e violência gerada pelo medo das armas nucleares pertencentes a ambas as partes. Quando visitei fronteiras de países da Ásia central, por exemplo, encontrei ali pessoas cheias de medo, porque, bem ali ao lado, eles tinham o exército soviético e estações de mísseis nucleares. Essa não é a paz verdadeira.

Lembro-me de uma ocasião em que visitei Moscou, em 1979. Na época, a União Soviética ainda adotava um regime comunista totalitário, no entanto, eles se descreviam como uma "nação amante da paz", da mesma forma que a República Popular da China afirma hoje. Enquanto isso, eles estavam ocupados fazendo preparativos de guerra, ao mesmo tempo que se referiam a si mesmos como "amantes da paz". Um correspondente em Moscou chegou a tentar colocar esse adjetivo em minha boca, mas eu me recusei a aceitar. Assim sendo, acredito realmente que a verdadeira paz deve vir do interior.

Algumas instituições religiosas agem mais como organizações e até corporações, o que não ajuda muito para promover a paz entre as comunidades.

Acho que precisamos separar as instituições religiosas da religião, como espiritualidade. Infelizmente, algumas instituições religiosas agem mais como organizações e até corporações, o que não ajuda muito para promover a paz entre as comunidades. Por outro lado, a religião ou a espiritualidade é, sem dúvida, uma fonte de inspiração e um método eficiente para aumentar os valores humanos positivos. Todas as importantes tradições religiosas transmitem a mesma mensagem de amor, compaixão, perdão, tolerância, contentamento e autodisciplina.

As religiões teístas falam do amor a Deus e por nossos semelhantes. Desses dois tipos de amor, acho que o último é o mais importante e é também uma forma de expressar nosso amor por Deus.

ESTUDANTE: Sua Santidade, parece que muitas pessoas estão encontrando "soluções apressadas" para seus problemas, soluções que apenas criam mais problemas. Por que fazemos coisas que somente nos fazem sentir pior?

DALAI LAMA: Essa é uma pergunta importante que é quase impossível responder em termos gerais. Pode ser, como já mencionei, que um dos motivos seja o fato de que só pensemos no problema à nossa frente isoladamente, sem considerar outros fatores envolvidos. Além disso, muitos dos problemas que enfrentamos atualmente, inclusive o terrorismo, surgiram por causa da negligência, no passado, em determinadas áreas. É muito mais fácil lidar com problemas desde o início e muito mais difícil solucioná-los depois que aumentaram e estão prestes a explodir. Nesse momento, é muito difícil evitá-los, especialmente quando as emoções humanas saem do controle e perde-se a capacidade de raciocínio. Nesse estágio, não há possibilidade de se manter um diálogo produtivo.

Essa é minha opinião. É muito difícil responder à sua pergunta de outra maneira. Temos que estudar cada caso individualmente.

ESTUDANTE: Sua Santidade, tenho duas perguntas para o senhor. Sua luta para libertar o Tibet tem sido longa. Como consegue não desanimar? E, de modo geral, como está sua saúde?

DALAI LAMA: Nós, tibetanos, temos uma herança cultural única e pertencemos a uma civilização antiga. Quando o budismo chegou ao Tibet e ali floresceu, todo o modo de vida do povo mudou e passou a ser mais pacífico. Assim sendo, temos essa cultura pacífica, além de tradições e idioma próprios. A menos que o governo chinês respeite e valorize verdadeiramente a cultura e a espiritualidade tibetanas, os problemas continuarão a existir.

Enquanto o Tibet existir, o espírito tibetano subsistirá. Não se trata apenas de uma ou duas gerações, mas da luta de toda uma nação. Já se passaram mais de cinqüenta anos desde que deixei meu país, no entanto, o espírito tibetano dentro do Tibet continua muito forte. Na verdade, em alguns casos, parece que a geração mais jovem é ainda mais forte do que a anterior. Assim sendo, quer eu esteja aqui ou não, a luta por nossos direitos fundamentais vai continuar.

Respondendo à sua segunda pergunta, estive muito doente recentemente, quando fui acometido de uma infecção intestinal. Não consigo dizer isso adequadamente. [Risos na platéia.] Na verdade, é uma história estranha. Minha saúde tem estado muito boa nos últimos dois ou três anos. Contudo, durante esse período, alguns agentes chineses, talvez deliberadamente, deram início a um boato de que o Dalai Lama tinha câncer. Então, adoeci recentemente e tive que cancelar um importante compromisso espiritual em Bodh Gaya, na Índia, para o qual haviam reunido muitas pessoas. As autoridades chinesas no Tibet disseram: "O Dalai Lama só está fingindo estar doente para atrair a simpatia de outras nações". Eu estava mesmo doente na época. [Risos na platéia.] Mas, quando não estou doente, eles dizem que o Dalai Lama está com câncer.

ESTUDANTE: Sua Santidade, como um aborígine na Austrália, a harmonia entre os povos nativos e não nativos tem sido muito importante para mim. O que o senhor acredita que deve ser feito, individual e coletivamente, para fazer avançar esse processo? E, acrescentando uma pergunta relacionada, porém mais geral, que papel o senhor vê os jovens desempenhando não apenas em termos de futuro, mas também de contribuição atual?

DALAI LAMA: Para responder à primeira parte da pergunta, vocês precisam poder se expressar abertamente e externar quaisquer queixas que possam ter. É importante que ambas as partes se encontrem com freqüência e discutam os problemas, a fim de desenvolver segurança e confiança mútuas. Como todos vivem neste continente, vocês precisam criar um verdadeiro senso comunitário. Assim, se houver necessidade de alguma medida legal, ela poderá ser tomada num clima tranqüilo, com um senso de preocupação e comunidade e uma atitude compassiva.

Acho que também seria proveitoso explicar que mostrar verdadeira compaixão não significa sentir pena das pessoas e olhá-las com ar de superioridade; a verdadeira compaixão é destituída de preconceitos. A forma habitual de amor e compaixão que sentimos por familiares e amigos vem acompanhada de apego e não é compaixão verdadeira. Precisamos aprender a ter um verdadeiro senso de preocupação não apenas por nossos parentes e amigos próximos, mas também por nossos inimigos, pois eles também são seres humanos ou, pelo menos, em termos gerais, são seres humanos. [Risos na platéia.] Portanto, eles são parte de "nós" e têm o mesmo direito à felicidade.

Corre-se o risco de confundir compaixão com um sentimento que nos leva a negligenciar nosso próprio bem-estar. Essa é uma visão equivocada. É necessário que primeiro tenhamos compaixão por nós mesmos, antes de poder oferecê-la aos outros. Sem ter experimentado a verdadeira compaixão em nosso interior, não temos base a partir da qual estendê-la a outros seres.

No que se refere à segunda parte de sua pergunta, acho que todos os dias, enquanto estiver estudando, obtendo conhecimentos e vivendo diferentes experiências, você também deve pensar constantemente nos valores humanos, como o senso de envolvimento e interesse pelos outros. Acho que isso é muito importante porque, como disse antes, o cérebro é como um instrumento que pode ser usado construtiva ou destrutivamente.

Por exemplo, os acontecimentos de 11 de setembro de 2001, nos Estados Unidos, não poderiam ter ocorrido sem um planejamento cui-

Enquanto estiver estudando, obtendo conhecimentos e vivendo diferentes experiências, você deve pensar constantemente nos valores humanos.

dadoso e inteligente, tudo deve ter sido meticulosamente calculado e medido com antecedência. Isso significa que as pessoas responsáveis por um ato tão terrível devem ter mentes brilhantes; quando mentes como essas são guiadas pelo ódio e auxiliadas pela moderna tecnologia, o resultado é desastroso. É por esse motivo que afirmo que você deve cuidar tanto de seu coração afetuoso quando de seu cérebro, enquanto estuda.

ESTUDANTE: Sua Santidade, nasci na Bósnia e, hoje, vivo na Austrália. Em nome de todas as pessoas que vivenciaram a guerra e sabem o que significa ser um refugiado, poderia me dizer como é possível perdoar?

DALAI LAMA: Segundo minha crença, a tolerância e o perdão estão relacionados à motivação. Quando alguém o prejudica ou fere e causa muito sofrimento para sua comunidade, realmente não adianta alimentar um ódio contínuo por esses causadores de problemas. Tal atitude somente irá trazer mais frustração e inquietação interior. Sentimentos de animosidade contra terceiros destroem sua paz de espírito e acabam por arruinar sua saúde.

No que se refere a agir para recuperar seus direitos e colocar um ponto final nesse mau procedimento, praticar o perdão não significa abandonar a luta. Todos nós temos o direito legítimo de tentar restaurar o que foi perdido ou danificado. Também podemos ter um sentimento de preocupação em relação ao mau comportamento e futuro bem-estar de nossos inimigos. Se eles estiverem envolvidos na busca de uma meta inadequada ou atividades prejudiciais, e nós permitirmos que prossigam, eles acabarão por sofrer no final. Assim sendo, por compaixão e preocupação por eles, como medida defensiva, devermos tentar impedi-los.

Portanto, perdoar não significa esquecer. Podemos conservar os eventos negativos em nossa mente e na dos cidadãos do mundo, e continuar nossa luta pela justiça, mas sem sentimentos de rancor. Às vezes, corre-se o risco de não se compreender bem o conceito do perdão, achando que perdoar significa submeter-se ou ceder ao antagonista, mas isso é um erro. O significado correto do perdão é não alimentar inimizades.

ESTUDANTE: Sua Santidade, devido à minha participação em programas de prevenção ao suicídio, conheci muitos jovens que acham que não têm motivo para viver. Como alguém que sempre dá a impressão de estar muito feliz e repleto de alegria, o que diria a essas pessoas?

DALAI LAMA: Isso é muito complicado, pois cada caso é diferente. Às vezes, as pessoas são impacientes demais; suas expectativas são muito altas, e elas não estão preparadas para as dificuldades. Quando surgem os problemas, como costuma ocorrer na vida, a situação parece insustentável, e elas escolhem a morte, em vez da vida.

Crianças que cresceram num ambiente familiar amoroso costumam ser muito mais saudáveis do que as que vivem sós ou, ainda pior, que são agredidas e maltratadas e nunca recebem uma amostra do verdadeiro amor. Há mais perigo nesses casos, pois tais pessoas podem se tornar interiormente violentas e praticar atos violentos na sociedade. O suicídio é uma forma de violência, porque ninguém tentaria se matar se estivesse feliz.

Portanto, acho que a família é muito importante, inclusive o tipo de casamento dos pais. Um casamento feliz e duradouro baseado não somente em atração física, mas também em respeito mútuo, permite que se resolvam os conflitos dentro da família. Crianças criadas dentro desse ambiente familiar geralmente recebem um tipo melhor de afeto. Se o casamento não estiver assentado em tal alicerce, é possível que os pais briguem constantemente e encontrem dificuldade em demonstrar afeto para os filhos. Muitos desses fatores estão interligados.

É importante ter uma visão de longo prazo, especialmente nos tempos modernos, em que muitas facilidades e serviços materiais apresentam resultados rápidos. Máquinas automáticas são úteis, é verdade, mas seres humanos não são automáticos; não podemos simplesmente ligar um interruptor.

Se tentarmos adaptar essa automação à nossa vida e sempre esperar resultados rápidos, iremos enfrentar desapontamentos e, até, sentimentos piores.

Máquinas automáticas são úteis, mas seres humanos não são automáticos; não podemos simplesmente ligar um interruptor.

ESTUDANTE: O que nós, estudantes, podemos fazer para ajudar o povo do Tibet?

DALAI LAMA: Acho que a primeira coisa que pode ser feita é conhecer a cultura do Tibet e seu meio ambiente: esses dois fatores são minha principal preocupação. A preservação da cultura do Tibet não interessa somente aos seus 6 milhões de habitantes, mas também a pelo menos 13 ou 14 milhões de pessoas nas regiões ao norte do Himalaia, que seguem a tradição budista tibetana. Essas pessoas incluem indianos, butaneses, nepaleses, mongóis, pessoas que vivem em algumas das repúblicas da federação russa e chineses. Por exemplo, tradicionalmente, a China era um país budista; mesmo hoje, apesar das circunstâncias difíceis, cada vez mais chineses estão demonstrando um verdadeiro interesse pelo budismo tibetano. Além disso, até certo ponto, sinto que a cultura budista tibetana pode contribuir para a paz de espírito da humanidade como um todo.

E ainda, geograficamente falando, a nascente de todos os rios mais importantes que sustentam o Paquistão, a Índia, a região da antiga Indochina e a China se encontra no Tibet. Assim sendo, se a situação do meio ambiente do Tibet mudar drasticamente como resultado de desmatamentos e mineração indiscriminada, as vidas de milhões de pessoas serão afetadas para pior. Portanto, independente da situação política do Tibet, é muito importante preservar e proteger a cultura tibetana e seu meio ambiente. É por esse motivo que eu gostaria de encorajá-los a descobrir mais e ficar bem informados sobre esses temas. Talvez, então, vocês possam criar grupos estudantis de apoio ao Tibet, como foi feito na América, e usá-los como fóruns de discussão sobre esses temas. Assim, vocês podem ensinar uns aos outros e, também, levar as discussões a uma comunidade mais ampla.

ESTUDANTE: Como o senhor se tornou o Dalai Lama?

DALAI LAMA: Algumas pessoas me chamam de o "Buda vivo" ou "deus-rei", mas isso é tolice. Sou apenas mais um ser humano e, geralmente, me descrevo como um simples monge budista. Serei o Dalai Lama enquanto as pessoas me aceitarem como tal. Quando deixarem de me aceitar, não serei mais o Dalai Lama. Mas, enquanto eu continuar a manter meus preceitos como monge budista, ninguém poderá mudar isso. Durante a Revolução Cultural, a propaganda chinesa me chamou de "fantasma" e de "lobo em trajes de monge". Mas ainda continuo aqui como monge budista, portanto, não houve mudanças.

ESTUDANTE: O senhor serve de inspiração a muitas pessoas e faz com que elas se sintam à vontade. O que lhe dá inspiração?

DALAI LAMA: Basicamente, sou um monge e praticante budista. Não necessariamente um praticante muito sério, mas certamente me considero um praticante, e uma de minhas principais práticas é o altruísmo. Recebi o Prêmio Nobel da Paz em 1989, mas meu trabalho em prol da paz por meio dos meios hábeis da compaixão, do altruísmo e da não-violência faz parte de minha prática espiritual. Assim sendo, como eu lhes disse após o Prêmio da Paz ter sido anunciado, devo continuar sendo um simples monge budista, nem mais, nem menos.

Além disso, os próprios ensinamentos de Buda e os comentários de muitos grandes mestres indianos sobre eles ajudaram a moldar minha mente e ser mais compassivo, o que proporciona uma enorme força interior e amplia meu modo de enxergar as coisas. Como resultado, os problemas não causam grande perturbação em minha mente. Assim, esses ensinamentos são uma fonte de constante inspiração para mim.

Outro fator importante é que não importa que pessoas eu conheça, sempre as trato como a outro ser humano. Não me importo com seus antecedentes, se são instruídas, ricas, se ocupam esta ou aquela posição; enquanto elas tiverem um sorriso no rosto e forem sinceras, o que posso ver em seus olhos, fico feliz. Acho que minha própria tranqüilidade e atitude amigável suscitam uma reação semelhante nelas, e tal reação faz gerar em mim outro tipo de força.

Por fim, Buda afirmou que nós somos nossos próprios mestres. Conseqüentemente, cuido de mim de modo compassivo e trato todos os outros seres como se fizessem parte de mim. Considero essa filosofia e esse modo de vida significativos o bastante para serem adotados todos os dias, semanas, meses e, até, anos. Vocês têm o mesmo potencial e devem possuir a autoconfiança de que têm o futuro em suas mãos.

Enquanto as pessoas tiverem um sorriso no rosto e forem sinceras, o que posso ver em seus olhos, fico feliz.

Todos aqui neste recinto, não importa o quanto sejam jovens e saudáveis, irão morrer algum dia. Agora estou com 67 anos de idade, portanto, acho que minha morte poderá chegar um pouco antes do que a de alguns de vocês, mas, cedo ou tarde, todos iremos morrer. Se nesse último dia, ao darem o último suspiro, puderem olhar para trás, analisar sua vida e sentir que ela foi significativa, que realizaram boas coisas para os outros ou, pelo menos, não os prejudicaram, acho que poderão morrer felizes.

6 A UNIDADE DA HUMANIDADE

EM PRIMEIRO LUGAR, GOSTARIA DE AGRADECER ÀS PESSOAS e organizações responsáveis por tornar esse evento possível. Gostaria também de expressar meu profundo agradecimento ao ex-primeiro-ministro David Lange por me apresentar hoje. Nós nos conhecemos durante minha segunda viagem a este país, mas, antes disso, eu ouvira falar de seus imensos esforços na luta contra o armamento nuclear. Como tento transmitir a mensagem de paz e não-violência em todo o mundo, para que possamos fazer progresso no objetivo da desmilitarização global, sempre admirei a coragem do primeiro-ministro Lange e sua determinação política. Alguns líderes encontram dificuldades em levar a cabo determinadas decisões, mas acho que ele demonstrou uma resolução e determinação política consistentes nessa questão. Assim sendo, fico muito feliz em encontrar novamente o sr. Lange nessa minha terceira visita à Nova Zelândia.

Os benefícios da generosidade

Iniciei essa visita à Austrália e Nova Zelândia há cerca de duas semanas e, amanhã cedo, retornarei à Índia. A própria natureza do tempo o faz movimentar-se ininterruptamente, nenhuma força pode controlá-lo ou pará-lo; o importante é saber se fazemos bom uso dele. Não me refiro apenas a como passamos o dia ou se saímos mais de férias, vamos a piqueniques ou a clubes noturnos. Eu me refiro a usar o tempo, se possível, para nos ajudar a partilhar os problemas uns dos outros. Se isso não ocorrer, devemos, pelo menos, nos abster de prejudicar os outros. Se vivermos com responsabilidade, poderemos dar significado à vida.

Geralmente, o ser humano tem uma expectativa de vida de cerca de cem anos, e nossa própria existência neste planeta não foi planejada para criar sofrimento para as outras pessoas. Acho que partilhar a vida e a felicidade com um grande sorriso, um coração generoso e amizade é a maneira adequada para atingir o propósito de nossa existência. Criar sofrimento e mágoa para os outros acabará por causar dor e mágoa para nós mesmos, de modo que ajudar os outros é realmente a melhor forma de atingir um profundo sentimento de satisfação interior.

Não tenho nada de especial para lhes dizer aqui, além de contar minhas próprias experiências que têm me mostrado que viver com mais generosidade é a verdadeira base para a felicidade. Assim sendo, gostaria de motivá-los a pensar mais sobre os valores espirituais interiores e aprenderem a ser generosos. Há muitos benefícios para quem preza os valores espirituais interiores: primeiro, todos se preocupam com a saúde. A generosidade propicia maior equilíbrio aos elementos físicos do corpo ao reduzir o medo e a ansiedade. Tal redução nos ajuda a desenvolver a autoconfiança e um senso de segurança, o que também cria mais equilíbrio no corpo físico.

Quando meus amigos constatam que minha saúde física está muito boa, muitas vezes me perguntam qual é meu segredo. Eu lhes digo: "Não há segredo algum, nada de especial". Geralmente, minha rotina diária pode ser mais tranqüila e regular do que a da maioria das pessoas, e esse pode ser um fator importante. Mas ainda mais significativo parece ser meu estado mental, que permanece bastante calmo, apesar de algumas dificuldades, eventos trágicos ou, até mesmo, uma doença ou dor.

Temos um ditado sobre como receber notícias trágicas: "Se notícias indesejáveis ou tristes atingem um ouvido, deixe-as sair pelo outro". Em outras palavras, tentamos não permitir que elas permaneçam em nossa mente, onde apenas causarão mais preocupações. Em meu caso, quando uma experiência ou pensamento desagradável atinge minha mente como uma onda, debaixo dela – como o oceano estável que se encontra embaixo – minha mente principal permanece basicamente tranqüila. Acho que esse pode ser um dos fatores que contribuem para minha boa saúde. Tendo dito isso, talvez vocês tenham percebido que tenho alguns pêlos nas sobrancelhas e que apareceram nos últimos cinco anos; isso mostra que a idade está provocando algumas mudanças em meu corpo.

> **"Se notícias indesejáveis ou tristes atingem um ouvido, deixe-as sair pelo outro."**

LIDANDO COM AS DIFICULDADES DO COTIDIANO

Uma mente tranqüila é um fator muito positivo. Seu médico deve lhe dizer para descansar mais, mas "descanso", nesse sentido, simplesmente se refere a se deitar, entretanto a mente que está tomada de preocupações e agitação nunca lhe dará o devido descanso. O verdadeiro descanso é o descanso mental. Na verdade, ele é mais importante do que o descanso físico.

Nós sempre iremos enfrentar alguns problemas na vida, é um fato natural. É um erro procurar soluções apenas no exterior. Em termos de questões sociais e políticas, é claro, podemos e devemos procurar ajuda em várias fontes, entretanto, ao lidarmos com muitos dos inevitáveis problemas da vida, não podemos ignorar também nossos recursos interiores. Por exemplo, se examinarmos um problema de perto, ele parecerá enorme e quase insuperável, mas, se analisarmos o mesmo problema com um olhar mais abrangente, ele não parecerá tão grave e insuportável. Essa perspectiva mais ampla nos dará a coragem necessária para lidar com ele. Digamos, por exemplo, que perdemos um ente querido ou algo muito valioso; ao nos deixar absorver pela dor, a tristeza somente irá aumentar e poderá atingir um ponto perigoso em que se tornará insuportável e começará a nos paralisar. A situação será muito diferente se pudermos seguir a seguinte linha de raciocínio: "Não sou a única pessoa que sofre esse tipo de perda; muitas outras estão vivendo tragédia semelhante. Mas, em meu caso, pelo menos, tenho muitas pessoas para me ajudar". Reagir dessa forma a acontecimentos trágicos realmente nos ajuda a aceitar a perda.

Perdi meu país quando jovem e tenho vivido como refugiado há mais de quarenta e três anos. Assim sendo, passei a maior parte de minha vida longe de casa. A partir de determinado ponto de vista, esse fato é motivo de preocupação e inquietação interior; porém, de outro, posso ver como essa tragédia me trouxe mais oportunidades para conhecer pessoas com as mais diversas ocupações. Além disso, o fato de ser um refugiado ajudou a pessoa que ostenta o título de "o Dalai Lama" a ficar mais próximo da realidade. No Tibet, a posição do Dalai Lama, às vezes, parecia limitada por um excesso de formalidade e cerimônia; hoje, no exílio, essas restrições se foram. Assim, de um lado a situação é triste, mas, de outro, ela criou novas oportunidades.

Falando francamente, devemos aceitar fatos, como doenças, envelhecimento e morte. Se os encararmos como parte da vida, nossa mente ficará mais tranqüila quando formos atingidos por acontecimentos indesejáveis. Por outro lado, se nos recusarmos a aceitar esses fatos e pensar neles como algo quase inconcebível, será muito mais difícil lidar com eles quando realmente ocorrerem. Além do mais, como tudo é relativo, podemos sempre encontrar um ponto de vista diferente sobre determinada situação, não importa o quanto ela possa parecer trágica e intolerável.

A lição a aprender aqui é não se preocupar demais. Para os que seguem uma fé religiosa, existem recursos adicionais aos quais recorrer. Por exemplo, quando budistas como eu vivem situações trágicas, muitas vezes atribuem o acontecimento ao seu carma passado, o que ajuda a suportar a tragédia. Embora a tragédia realmente permaneça a mesma, a atitude faz uma diferença significativa. É por esse motivo que sugiro que vocês pensem com o máximo de objetividade nos problemas e dificuldades que surgirem em sua vida diária e tentem analisá-los sob diferentes ângulos. Essa medida pode ajudá-los a descobrir algo positivo neles.

Outro fator importante é a autoconfiança. Para desenvolvê-la, devemos ser honestos e sinceros e, na medida do possível, nos livrar dos subterfúgios e pretextos. Se eu tentar fingir que sou santo e que tenho algo de especial para lhes oferecer, esse fato somente me causará mais preocupações e intranqüilidade. Em vez disso, se me comportar de forma honesta e completamente informal, minha autoconfiança e força interior aumentarão. A autoconfiança nos permite superar até problemas graves e nos ajuda a desenvolver a força de vontade e a determinação.

NOSSA FAMÍLIA HUMANA

Atualmente, há um verdadeiro anseio pela paz e uma genuína preocupação com o meio ambiente, e cada um de nós tem a responsabilidade de contribuir para essas importantes questões mundiais. Nesse aspecto, acho que é crucial promover um sentimento de unidade da humanidade. Certamente, considerando-se as diversas tradições religiosas, etnias, grupos culturais e de idiomas existentes no mundo, nossa família humana é composta por diferentes membros, mas, em minha opinião, essas diferenças são secundárias em relação ao fato de que somos todos integrantes da mesma família.

O reconhecimento de uma unidade da humanidade é especialmente importante no mundo atual, que se tornou menor devido à tecnologia, ao crescimento populacional e a economias globais. Como resultado, cuidar do bem-estar de outras pessoas tem, na realidade, se tornado fonte de imensos benefícios para nós mesmos. A nova realidade do mundo mostra que a destruição de nossos vizinhos é, essencialmente, nossa destruição, pois todas as partes do mundo efetivamente se tornaram parte de nós mesmos.

Todas as partes do mundo efetivamente se tornaram parte de nós mesmos.

Diferenças de fé religiosa, origem social, educação e raça são secundárias em relação ao simples e básico fato de que todos somos, cada um de nós, os mesmos seres humanos, mental, emocional e fisicamente. Acredito que refletir mais sobre nossa "unidade" nos permitirá resolver muitos dos problemas que enfrentamos hoje num nível global.

O século 20 nos ensinou que a bomba atômica e outras armas capazes de causar destruição em massa não solucionaram todos os nossos problemas, mas, na verdade, criaram outros, inclusive danos à ecologia, e a disseminação de um medo e uma ansiedade mais profundos. É verdade que, quando comparada ao armamento nuclear, a assim chamada política de intimidação de "destruição mutuamente assegurada" pareceu trazer paz, pelo menos na Europa, durante um período de grande ansiedade no século passado. Mas, se examinarmos essa situação com atenção, constataremos que a paz na Europa não foi uma paz verdadeira, mas a simples ausência da guerra baseada no medo.

O século 20 definitivamente foi um período de derramamento de sangue. Acho que as pessoas de todo o mundo estão realmente ficando cansadas de violência, não somente a violência entre as nações, mas também entre as comunidades. Às vezes, ouvimos até falar de violência entre crianças em salas de aula, o que é realmente lamentável. Acho que esse é um sintoma significativo de alguma falha terrível na sociedade. Participei de vários seminários sobre o tema da inquietação da juventude, juntamente com psicólogos, teóricos sociais, assistentes sociais, médicos, terapeutas, etc. Eles concordaram unanimemente que um dos fatores que origina a inquietação entre os jovens é a falta geral de afeição humana, tantos nas famílias quanto na sociedade como um todo. Esse fato nos mostra que é de nosso interesse criar uma sociedade mais humana e afetuosa.

Assim sendo, a partir das lições oferecidas pelas experiências dolorosas do século 20, deveríamos nos esforçar para tornar o século 21 menos violento e destrutivo. Para tanto, precisamos de um método eficiente para combater os conflitos que não seja o da contraviolência, e acho que esse método é o diálogo que vise à reconciliação. Enquanto estivermos promovendo a paz, devemos também promover o espírito do diálogo. Em resumo, todos deveríamos nos empenhar para transformar esse novo século num século de paz e diálogo. Muitas vezes, sugiro que os currículos escolares incluam as matérias do diálogo e solução pacífica de conflitos, para que, desde cedo, as crianças aprendam a reagir automaticamente aos conflitos em espírito, sem usar a força. Acho que o uso da força é um método antiquado e incivilizado para solucionar conflitos.

Uma questão importante relacionada a essa antiga forma de solucionar conflitos por meio da violência é a discriminação sexual continuada. Antigamente, um corpo grande e forte era visto como superior, com base no fato de que o corpo masculino geralmente é mais forte, e o feminino, um pouco mais fraco. Parece que nossa atitude atual em relação ao feminino e masculino carrega traços desse antigo modo de pensar, mesmo que, no mundo moderno, o intelecto e a generosidade tenham se tornado muito mais importantes do que as dimensões físicas. Assim, essa transformação fundamental em nossa consciência deveria se refletir em nossa visão de mundo e na forma com que lidamos com os problemas.

Sempre que tenho oportunidade, tento partilhar esses pensamentos com outras pessoas, para que todos possamos, juntos, construir um mundo mais saudável e feliz. Afinal, a responsabilidade pelo futuro repousa totalmente sobre os ombros de todos nós. Amanhã, estarei voltando para a Índia, onde moro. Gostaria de pedir que pensassem sobre alguns dos temas que citei esta noite e, se eles forem de seu interesse e vocês acharem que vale a pena refletir sobre eles, tentem programá-los em sua vida pessoal. Por exemplo, muitas vezes pessoas que mantêm um relacionamento brigam. Eu sugiro que, de agora em diante, vocês sorriam mais, tentem ouvir seus parceiros, atenuar a raiva e reduzir as palavras ásperas.

Por outro lado, se alguns sentem que minhas palavras são vazias e que são destituídas de significado, podem simplesmente esquecer o que eu disse. Tudo bem com isso, também!

Muito obrigado.

PERGUNTA: Qual é sua resposta ao medo do terrorismo?

DALAI LAMA: No que se refere à pergunta sobre medidas defensivas imediatas ou respostas à atividade terrorista, não sei o que dizer. Os líderes mundiais, guiados pelo presidente dos Estados Unidos, tomaram algumas iniciativas mundiais. É difícil afirmar se, às vezes, é melhor ou não usar a força. Acho que algumas dessas situações trágicas são um sintoma de nossa negligência passada. Acredito que os principais fatores de uma resposta insuperável deve ser a promoção de valores humanos básicos e a busca de uma solução pacífica. É muito melhor encontrar nossos oponentes num clima de diálogo, honestidade e compreensão, ao mesmo tempo que asseguramos um verdadeiro respeito por seus interesses. Deveríamos escutar suas queixas e seus motivos e, então, procurar a solução do conflito por meio do debate. Muitos problemas podem ser atenuados dessa forma e, a longo prazo, acho que essa é a única maneira de lidar eficientemente com a ameaça do terrorismo.

PERGUNTA: Como o senhor se sente ao retornar à Índia, sobre a qual paira uma ameaça de guerra?

DALAI LAMA: A Índia é meu segundo lar e onde passei quarenta e três anos de minha vida. Assim, tenho que voltar, apesar da iminente ameaça de guerra. O relacionamento entre o Tibet e a Índia remonta a vários séculos, é singular e me toca de perto. Sempre o descrevo como um relacionamento entre professor e aluno; nesse caso, nós, tibetanos, somos os alunos, e os indianos, nossos mestres.

Quando cheguei à Índia, Pandit Jawaharlal Nehru era o primeiro-ministro. Ele cuidou pessoalmente dos tibetanos, especialmente da instrução das crianças refugiadas tibetanas. Sua política educacional básica para os tibetanos foi adotada por todos os primeiros-ministros e governos que o sucederam, o que tem sido extremamente útil para nossa comunidade. Assim sendo, sentimos em nossos corações que a Índia é nosso lar. De fato, neste exato momento, embora eu me encontre aqui fisicamente e esteja falando com vocês, minha mente já está no avião para a Índia. [Risos da platéia.]

PERGUNTA: Como podemos ajudar o Tibet?

DALAI LAMA: Um dos aspectos de nossos problemas se deve realmente à política governamental chinesa, baseada na falta de consciência sobre a cultura e história tibetanas. Um *slogan* do governo chinês declara que se deve "buscar a verdade nos fatos". É, certamente, uma frase sábia, mas os fatos devem ser genuínos, não falsidades. Alguns dos funcionários chineses instalados no Tibet apresentam falsos relatórios com o intento de agradar aos superiores. É claro que qualquer política baseada nesses fatos inexatos conduz ao desastre.

Em 1973, como resultado de debates num pequeno grupo de tibetanos, decidi que, cedo ou tarde, teríamos que encontrar uma solução para a crise do Tibet através do diálogo com o governo chinês. Percebi que a questão da independência para os tibetanos não seria realista e não formularia adequadamente a idéia de uma abordagem que procurasse um "meio-termo". Assim sendo, no início de 1979, meu emissário pessoal reuniu-se com Deng Xiaoping, então chefe do Partido Comunista; nessa reunião, o líder chinês declarou que, fora a questão da independência do Tibet, nada poderia ser discutido.

Todos os nossos esforços desde então ocorreram de acordo com a estrutura oferecida por Deng Xiaoping naquela importante reunião. Apesar das críticas por parte da comunidade tibetana, de alguns de nossos amigos e apoiadores, acusações públicas contra mim por parte do governo chinês e a situação cada vez mais grave no Tibet, ainda estou totalmente comprometido com a abordagem do meio-termo. Entretanto, apesar disso, o governo chinês declara repetidamente que o Dalai Lama é um "promotor de discórdias" e um "separatista"; eles me fazem tais acusações por medo ou por ignorância.

Assim sendo, sempre que vocês tiverem a oportunidade de encontrar alguns de seus irmãos chineses, falem sobre seus sentimentos e tentem discutir essas questões com eles, para que possam ficar mais bem informados. Atualmente, cada vez mais chineses estão apoiando o Tibet, mostrando solidariedade e preocupação verdadeiras. Nos últimos anos, tenho recebido vários comunicados de estudiosos, artistas e escritores chineses. Essa preocupação e apoio sinceros vêm de uma consciência maior sobre a situação.

Além disso, quero dizer a vocês, como nossos apoiadores que são, que, apesar da falta de resposta por parte do governo chinês, continuamos a persistir na luta e na campanha pela proteção do meio ambiente, da cultura, dos direitos humanos e da liberdade religiosa no Tibet. Olhando o quadro como um todo, estou otimista quanto ao futuro do Tibet, pois a China atravessa um processo de mudança. Cedo ou tarde, o povo da República Popular da China terá que se curvar diante da tendência global de maior respeito aos direitos humanos, aos direitos de autodeterminação e de regimes legais e democráticos, à abertura, à liberdade de expressão, de culto religioso e de imprensa.

Mas é claro que, quando examinamos as condições locais dentro do Tibet, a situação é realmente terrível. Sob o progresso superficial que vemos, existem inúmeros problemas e tristes avanços no que se refere à destruição da cultura tibetana. Quando me pedem para comentar a situação em poucas palavras, costumo dizer que, intencionalmente ou não, está ocorrendo algum tipo de genocídio no Tibet.

Em termos ambientais, o desmatamento em larga escala e a mineração indiscriminada estão danificando seriamente a frágil ecologia do país. E a transferência de população de etnia chinesa está aumentando todos os meses. Os tibetanos já se tornaram minoria em Lhasa, a capital, e seu estilo de vida mudou radicalmente, até mesmo o idioma: eles são compelidos a falar chinês. Quando observamos o Tibet localmente, a situação parece quase irrecuperável, mas, se a observarmos de um ponto de vista mais global, as perspectivas são mais auspiciosas. Portanto, continuem a nos apoiar, mas não de uma forma antichinesa. Na verdade, o apoio à causa tibetana acaba sendo vantajoso para a própria República Popular da China. A situação atual é insatisfatória para a estabilidade e unidade geral da China que, em minha opinião, são prioridades do governo chinês. Se a China conceder uma autonomia considerável ao Tibet, como resultado ela terá uma verdadeira estabilidade e unidade.

Assim, seu apoio para encontrar uma solução representa um importante benefício, tanto para a China quanto para o Tibet, e vocês não devem considerar essa uma luta antichinesa. Além disso, não vejo seu apoio como pró-tibetano, mas sim como pró-justiça, porque a causa do Tibet é uma causa justa.

Obrigado.

Glossário

Abhidharma – significa, literalmente, "conhecimento superior"; Abhidharma se refere a um conjunto de escrituras budistas sobre psicologia, fenomenologia e cosmologia.

anatman – significa, literalmente, "ausência do eu" e refere-se a um importante ensinamento budista, segundo o qual se rejeita qualquer idéia de que o verdadeiro eu de nossa existência seja constituído por um princípio eterno.

arhat – literalmente, "destruidor do inimigo", arhat se refere à pessoa que destruiu suas ilusões e libertou-se da existência cíclica.

arya – nobre que atingiu elevados níveis de realização espiritual, especialmente a compreensão direta da natureza absoluta da realidade.

Atisha – erudito indiano budista do século 11, que foi convidado ao Tibet pelo rei de Ngari. Considerado como responsável por restaurar o budismo no Tibet. Escritor produtivo e professor renomado, compôs a **Lâmpada sobre o caminho para atingir a iluminação**, o protótipo original para os ensinamentos de lam rim.

bhumi (sânscr.) – os dez estágios a serem cumpridos progressivamente pelos bodhisattvas, no caminho para a iluminação. Também conhecido como os dez caminhos ou as dez terras.

bodhicitta – literalmente, "mente de Buda". O desejo de praticar a compaixão e o altruísmo, com o objetivo de aliviar o sofrimento dos outros.

bodhisattva – alguém com a motivação compassiva do bodhicitta e que dedica a vida a alcançar a iluminação para o bem de todos os seres, através da prática das seis perfeições: generosidade, ética, paciência, perseverança, meditação e sabedoria.

Buda – a primeira das três jóias em que se busca refúgio. Um buda é um ser totalmente iluminado. O buda histórico foi o príncipe Siddhartha Gautama ou Buddha Shakyamuni, que viveu na Índia em 600 a.C.

Buddhadharma – Os ensinamentos (Dharma) de Buda.

Caminho do meio (ver **Madhyamika**).

carma – significando, literalmente, "ação" em sânscrito, carma se refere à lei de causa e efeito, a ações exercendo conseqüências para si mesmo e para os outros.

Chenrezig (tib.) – conhecido como Avalokiteshvara, em sânscrito. O aspecto masculino de uma divindade que simboliza a compaixão e o altruísmo, Chenrezig é representada com quatro ou 1.000 braços. O Dalai Lama é considerado a corporificação moderna de Chenrezig.

compaixão – o desejo altruísta de ajudar a libertar todos os seres da aflição e do sofrimento.

Dalai Lama – líder temporal e espiritual do povo do Tibet, no Tibet e no exílio. O atual Dalai Lama é o décimo quarto. O título significa "Oceano de sabedoria".

Dharma – a segunda das três jóias em que se busca refúgio. Os ensinamentos espirituais de Buda.

dharmakaya – o "corpo da verdade" ou o "corpo da realidade de Buda". Esse é o estado natural da mente desperta de Buda, que também é sua natureza absoluta (ver **kaya**).

divindade – uma figura usada em meditação, visualização ou tantra; a manifestação ou representação da mente iluminada ou de um buda.

divindade, yoga da – a prática de visualizar a si mesmo como uma divindade após receber a iniciação de um mestre qualificado que detém a linhagem.

doze elos da geração dependente – ignorância, vontade, consciência, nome e forma, origens, contato, sentimento, desejo ardente, apego, decência, nascimento, envelhecimento e morte. Segundo o budismo, os indivíduos perambulam no ciclo de uma existência não iluminada, devido à formação de uma cadeia com os elos representados por esses doze fatores.

duas acumulações – acumulação de mérito e acumulação de sabedoria, cuja perfeição culmina na conquista do estado de ser do budismo Mahayana.

estado de ser do budismo – o estado de despertar perfeito, cuja realização resulta na transformação do indivíduo num buda, o iluminado; a perfeição da sabedoria e da compaixão.

existência cíclica (ver **samsara**).

Gelugpa – a mais recente das quatro linhagens do budismo tibetano. Criado por Lama Tsong Khapa, no século 14.

geshe – significa "amigo espiritual", em tibetano. Um geshe é um mestre na tradição Gelug que concluiu o treinamento formal e conquistou a posição de geshe.

guru – mestre ou mentor espiritual (ver ***lama***).

iluminação – a mente totalmente desperta, realizada e onisciente, pura e livre de todos os obscurecimentos. No budismo, todos os seres são capazes de evoluir e atingir tal estado através da transformação gradativa da mente.

iniciação (tib. *wang,* sânscr. *abhisehka*) – poderes concedidos por um mestre qualificado, que permitem ao aluno unir-se à família de praticantes e executar práticas associadas à divindade meditacional.

Kagyu – uma das quatro linhagens do budismo tibetano. Sua Santidade, o décimo sétimo Karmapa, recentemente exilado na Índia após passar a infância no Tibet, é seu chefe.

Kalachakra – o sistema tântrico da "Roda do Tempo", que consiste em instruções sobre medicina, astronomia, tempo, yoga e psicologia, abrangendo todo o universo e o caminho para a iluminação. O Dalai Lama transmitiu ensinamento de Kalachakra em Sydney, em 1996. Ele é freqüentemente associado à promoção da paz mundial.

kaya – personificação ou corpo de Buda.

lama – significando, literalmente, "ninguém superior", lama refere-se a alguém em quem se pode confiar como mestre ou amigo e guia espiritual. Alguém qualificado para conferir poderes e mostrar o caminho para a iluminação através do exemplo (ver **guru**).

Lama Tsong Khapa – mestre, escritor e um dos grandes filósofos tibetanos do século 14. Fundou a linhagem Gelugpa (ou Gelug) do budismo tibetano.

lojong – transformação do pensamento ou treinamento da mente. Abrange técnicas para fazer conferir a devida importância às exigências do ego e transformar pensamento e ações com objetivo altruísta, a fim de desenvolver uma mente menos voltada para a autopreservação e que seja capaz de, genuinamente, ajudar aos outros.

Madhyamika – a mais influente das quatro principais escolas filosóficas do budismo indiano, baseada na **Perfeição dos sutras da sabedoria**, de Shakyamuni Buddha, fundada por Nagarjuna. O termo significa "Caminho do meio", percorrer o caminho entre os extremos do niilismo e do eternalismo, empregando a sabedoria ou a realização do vazio.

mahamudra – significando, literalmente, "grande selo", a mahamudra se refere a um sistema profundo de prática meditativa em que o principal foco é a própria natureza da mente.

Mahayana – significa "Grande veículo" e é um sistema do budismo que incentiva a conquista do objetivo da iluminação não apenas para atingir o nirvana para si mesmo, mas para resgatar todos os demais seres do sofrimento. O mahayana critica radicalmente tudo o que geralmente aceitamos como tendo uma existência independente e confia na possibilidade da iluminação (ver **Theravada**).

mandala – um círculo ou roda que representa o universo ou a morada de uma divindade. Quando usado simbolicamente, assume a forma de uma imagem bidimensional sobre tecido ou uma imagem feita de areia colorida; também pode assumir a forma de uma imagem tridimensional. A visualização da mandala desempenha um papel crucial na meditação tântrica.

Manjushri – o Buda da Sabedoria.

mantra – literalmente, "o que protege a mente", um mantra é a declamação de sílabas místicas e está associado a uma divindade ou prática.

meditação – processo mental disciplinado, pelo qual é possível familiarizar-se com diferentes estados mentais através do uso de várias técnicas, como respiração, visualização e concentração unidirecional. Um método para dominar, libertar e treinar a mente.

meditação da introspecção – a meditação da introspecção se refere a uma disciplina meditativa em que a ênfase principal reside numa análise profunda em oposição à absorção unidirecional em relação a um objeto (ver **vipassana**).

meditação serena (ver **shamatha**).

meios hábeis – referem-se a práticas altruístas, como o cultivo da compaixão e afetuosa generosidade, complementada pela sabedoria do vazio no budismo Mahayana.

moksha – significa, literalmente, "liberdade" refere-se à conquista da libertação pela qual o indivíduo se livra totalmente do sofrimento e suas origens. No budismo, o moksha equivale ao nirvana, que é a cessação total do sofrimento e suas condições.

mudra – gestos das mãos que simbolizam várias atividades; parte da utilização budista harmônica de corpo, fala e mente.

Nagarjuna – erudito e escritor indiano do século 2º d.C. Uma de suas obras mais famosas é a **Guirlanda preciosa**, um manual de conselhos voltado para indivíduos e também útil para políticas sociais e governamentais.

natureza búdica – a semente da iluminação perfeita que, segundo o budismo Mahayana, existe naturalmente em todos os seres.

nirmanakaya – o corpo de emanação de Buda, a personificação física do Buda, que é visível aos seres comuns, como os seres humanos. O histórico Buddha Shakyamuni é um exemplo desse corpo de emanação de Buda.

nirvana – o estado de libertação do sofrimento, das ilusões e do carma, chamado de "libertação do samsara", na tradição tibetana.

Nyingma – a mais antiga das quatro linhagens do budismo tibetano. Baseada nos ensinamentos introduzidos pela Índia por Padmasambhava e outros, diferencia-se da segunda propagação de ensinamento no século 11.

oito preocupações mundanas – as oito preocupações mundanas referem-se a um par de quatro preocupações que costumam dominar o estado normal dos seres comuns. Elas são: 1) deleitar-se diante de elogios e abater-se quando menosprezado; 2) deleitar-se quando possuir algo e abater-se quando não possuir; 3) deleitar-se ao ouvir palavras agradáveis e abater-se quando ouvir algo desagradável; 4) deleitar-se com a prosperidade e abater-se diante de infortúnios.

Padmasambhava – significa, literalmente, "nascido do lótus", também é conhecido como Guru Rimpoche. Responsável pela implantação formal do budismo no Tibet no século 8º.

pratyekabuddha – significa, literalmente, "realizadores solitários". São discípulos de Buda que, ao seguirem o caminho do "veículo menor", optaram por buscar a iluminação, principalmente baseando-se na autoconfiança.

"Quatro nobres verdades" – o primeiro ensinamento de Buda na Índia foram as "Quatro nobres verdades", que representam o alicerce do pensamento e da prática budista. As "Quatro nobres verdades" são:

a verdade do sofrimento, a origem do sofrimento, a cessação do sofrimento e o caminho para a cessação do sofrimento.

realidade suprema – um epíteto para vazio, que se refere às coisas como realmente são.

refúgio – há três objetos de refúgio no budismo: o Buda, o Dharma e a Sangha, que é a comunidade espiritual. Buscar refúgio neles implica entregar o bem-estar espiritual aos cuidados do Buda como mestre, ao Dharma como a verdadeira fonte de refúgio e à comunidade como o apoio enquanto se está no caminho.

reinos inferiores – a existência cíclica é dividida em seis reinos: três de nascimento favorável e três de nascimento desfavorável. Os três reinos de nascimento desfavorável são descritos como os reinos inferiores e incluem os reinos do inferno. O renascimento dentro da existência cíclica é determinado pelo carma acumulado pela pessoa.

renascimento – o continuum de aspectos da mente após a morte, que busca corporificar-se novamente segundo o carma acumulado nas vidas passadas.

Rinpoche – significa, literalmente, "precioso"; é o título conferido a alguém formalmente reconhecido como a reencarnação de um antigo lama ou mestre.

rupakaya – o corpo da forma de Buda, ou seja, a forma corporificada de um ser totalmente desperto e visível a outros seres.

sabedoria – realização da insubstancialidade ou vazio de tudo que aparece para nós, interna ou externamente (ver também **shunyata** e **vipassana**).

sabedoria não dual – a sabedoria que realiza o vazio diretamente e que é chamada de não dual por estar livre de todas as formas de dualidade, como sujeito e objeto, identidade e diferença, etc.

sadhana – a prática e as instruções dadas quando é assumido um compromisso associado a uma divindade meditacional. Uma liturgia usada em devoções diárias.

Sakya – uma das quatro linhagens do budismo tibetano.

sambhogakaya – o "corpo do êxtase" ou o "corpo do Buda do recurso perfeito". Sambhogakaya é o estado extremamente sutil da corporificação física do Buda que, segundo os textos, é perceptível somente a bodhisattvas em elevados níveis de realização espiritual.

Samkhya, escola – antiga escola indiana de pensamento filosófico.

samsara – a existência cíclica, a roda da morte e renascimento contínuos.

Sangha – a comunidade budista ou monges e monjas ordenados. A terceira das três jóias do refúgio.

sânscrito – o mais importante idioma da Índia clássica; é o idioma em que muitos dos textos budistas originais foram escritos.

ser senciente – qualquer ser vivo com consciência, que não está livre de ignorância total e sutil.

Sete membros, prática dos – um ritual popular no budismo Mahayana. Os sete membros fazem prostrações, oferendas, purificam negatividades, regozijam-se, pedem aos budas para girar a "Roda do Dharma", pedem a eles para não entrar no nirvana final e fazem consagrações.

shamatha – meditação serena; estado mental caracterizado pela estabilização da atenção num objeto de observação interior, combinado ao apaziguamento das distrações externas na mente.

Shantideva – conhecido mestre budista do século 17, autor do admirável clássico Mahayana, **Guia para o meio de vida do bodhisattva.**

shravaka – significa, literalmente, "ouvinte" e refere-se aos discípulos de Buda, cuja principal preocupação em seu caminho espiritual é atingir a libertação do sofrimento para si mesmo e seguir o caminho do "veículo menor".

shunyata – traduzido como "vazio", significa a ausência de qualquer essência permanente nos objetos ou no conteúdo da mente, a insubstancialidade de tudo o que parece sólido e permanente. Realizar o shunyata como condição de toda a existência humana é libertar-se através da eliminação da fonte do sofrimento na raiz (ver **verdade absoluta** e **sabedoria**).

Sutras – os ensinamentos ou escrituras de Buddha Shakyamuni.

svabhavakaya – um dos dois aspectos do dharmakaya pertencentes ao estado natural da mente desperta de Buda.

tantra – refere-se ao Vajrayana ou "Veículo do diamante". Os ensinamentos interiores do budismo Mahayana usados para avançar rapidamente no caminho para a iluminação. A prática tântrica é bem-sucedida se o praticante desenvolveu primeiro um bom grau de concentração, constância, equanimidade e compreensão. Exige confiança e dedicação.

Tara – divindade meditacional feminina, considerada a corporificação de toda a atividade iluminada dos budas. Há muitos aspectos diferentes de Tara, sendo o mais conhecido a Tara Verde (geralmente associada à proteção) e a Tara Branca (muitas vezes associada à prática da cura e longevidade).

Tathagata – um epíteto de Buda, que, literalmente, significa "que chegou até esse ponto".

thangka – pintura que representa divindades ou ilustrações, como a "Roda do Dharma", e é usada para propósitos de visualização e meditação. Uma representação externa do que o meditador internaliza e com que interage através da meditação.

Theravada – o budismo na Índia, Sri Lanka, Burma, Laos, Tailândia e Camboja.

tonglen – importante prática budista de treinamento da mente voltada para a compaixão e o altruísmo. Tonglen, que, literalmente, significa "dar e receber", refere-se a uma prática de visualização específica por meio da qual os praticantes oferecem mentalmente todos os seus aspectos positivos aos outros seres, ao mesmo tempo que tomam para si todos os sofrimentos e as condições que levam as pessoas a sofrerem.

três jóias – o Buda, o Dharma e a Sangha, como o mestre, os ensinamentos e a comunidade de praticantes, respectivamente.

três treinamentos superiores – treinamento superior em oralidade, em concentração e em sabedoria que, juntos, foram o cerne do caminho budista para a iluminação.

Tripitaka – significa, literalmente, "os três cestos" e refere-se ao cânone das três principais escrituras atribuídas a Buda: moralidade, concentração e sabedoria.

vajrayana – o "Veículo do diamante"; o caminho mais intenso para a iluminação, que exige boas noções de concentração meditativa e compreensão (ver **tantra**).

vazio (ver **shunyata**).

verdade absoluta – a verdade absoluta refere-se à natureza absoluta da realidade que, segundo o budismo Mahayana, é entendida em função da doutrina do vazio, ou seja, a ausência da existência intrínseca de todas as coisas. Ela é uma das "Duas verdades", sendo a outra a verdade convencional.

Vinaya (sânscr.) – significa, literalmente, "disciplina". Vinaya é o código da disciplina e ética monástica para praticantes ordenados da Sangha (monges e monjas).

vipassana – também chamada de "meditação da introspecção", vipassana se refere a um estado de meditação analítica que penetra na natureza, nas características e função do objeto de meditação, acompanhado por uma flexibilidade física e mental do corpo e da mente, gerado com base na serenidade. Também grafado como viasyana.

visão – conhecimento consciente do budismo como caminho; uma concepção que penetra no centro da realidade; estudo dos ensinamentos como um sistema coerente para atingir a felicidade. Com a meditação e a ação, elas constituem as três fundações do budismo.

Yogacara – nome alternativo em sânscrito para a escola da Mente Apenas, do budismo Mahayana. Os dois principais fundadores dessa escola são os irmãos Asanga e Vasubandhu.

yogi – praticante solitário; muitas vezes medita em retiros, florestas ou cavernas, livre de convenções, ou perambula pelas cidades proferindo verdades, cantando canções espontâneas de realização e atendendo ao desejo das pessoas.

Notas

1. A compreensão ou realização do vazio é discutida nos capítulos 3 e 4.

2. Para uma breve explicação sobre os trinta e sete aspectos do caminho para a iluminação, ver S.S. o Dalai Lama, **The world of tibetan budhism**. Boston: Wisdom Publications, 1995. p. 20-1.

3. Essas são as perfeições da generosidade, disciplina ética, paciência, diligência, concentração e sabedoria.

4. **Fundamentos do caminho do meio**, capítulo 24, verso 18. Todas as traduções das fontes tibetanas foram realizadas por Geshe Thupten Jinpa, a não ser quando declarado o contrário. Para uma tradução alternativa desse verso, ver Jay L. Garfield, **The fundamental wisdom of the middle way**. Nova York: Oxford University Press, 1995. p. 69.

5. **Guia para o modo de vida do bodhisattva**, capítulo 8, verso 130. Para uma tradução alternativa, ver **The Bochicaryavatara**: the world´s classics. Nova York: Oxford University Press, 1996. p. 99.

6. Versos – direitos autorais © 2000 Sua Santidade o Dalai Lama, **Transforming the mind**: teachings on generating compassion (editado e traduzido por Geshe Thupten Jinpa). Londres: Thorsons, HarperCollins Publishers, 2000. Direitos autorais na versão modificada cedidos para Lothian Books.

7. As dez ações negativas são: (do corpo) matar, roubar e manter má conduta sexual; (da fala) mentir, proferir futilidades, calúnias e ofensas; (da mente) cobiça, intenção prejudicial e visões equivocadas. As dez ações positivas são opostas a essas.

8. Essa é uma passagem de uma escritura citada por Chandrakirti em seu autocomentário sobre **Entering the middle way**.

9. **Entering the middle way**, capítulo 6, verso 120.

10. Para uma explicação e descrição detalhadas dos ensinamentos

budistas sobre os "Doze elos da geração dependente", ver. H.H. the Dalai Lama, **Meaning of life**: Buddhist Perspectives on Cause and Effect. Boston: Wisdom Publications, 1992.

11. **Guia para o modo de vida do bodhisattva**, capítulo 8, verso 131. Para uma versão alternativa do verso, ver **The Bodhicaryavatara**: the world´s classics. Nova York: Oxford University Press, 1996. p. 100.

12. Para uma exposição detalhada e acessível por parte do Dalai Lama sobre esse clássico espiritual tibetano do século 20, ver **Awakening the mind, lightening the heart**. São Francisco: HarperCollins, 1995.

13. As oito preocupações mundanas referem-se a um conjunto de quatro emoções opostas em reação a eventos: orgulho ao ser elogiado, desânimo quando criticado; orgulho ao ouvir palavras agradáveis e desânimo ao ouvir palavras desagradáveis; orgulho ao receber presentes materiais e desânimo ao não recebê-los; finalmente, orgulho ao viver momentos de prosperidade e desânimo ao experimentar infortúnios.

14. Os versos de Atisha traduzidos e usados neste capítulo são reproduzidos com permissão de Atisha´s lamp for the path to enlightment, direitos autorais © Geshe Sonam Rinchen (traduzido e editado por Ruth Sonam). Nova York: Snow Lion Publications, 1997. *www.snowlionpub.com*

15. **Four hundred verses on the middle way**, capítulo 8º, verso 15.

16. Esse é o reino animal, o reino dos pretas (fantasmas famintos) e os reinos do inferno.

17. Os reinos da forma e sem forma se referem aos níveis mais elevados da existência no reino celestial, e nascer neles é descrito como os frutos das profundas absorções meditativas de que participamos durante a vida.

18. A existência cíclica refere-se ao ciclo perpétuo do nascimento e da morte, conhecido como samsara, em sânscrito.

19. Os reinos superiores são os que abrigam os seres humanos, semideuses e deuses.

20. As três características restantes são sofrimento, vazio e a ausência do ego.

21.Para uma descrição dessa cerimônia, ver capítulo 3.

22.**Fundamentals of the middle way**, capítulo 24, verso 10a. Para uma tradução alternativa dessas duas estrofes, ver Jay L. Garfield, **The fundamental wisdom of the middle way**. Nova York: Oxford University Press, 1995. p. 68.

Conheça também outros livros da **Fundamento**

EDITORA FUNDAMENTO

www.editorafundamento.com.br
Atendimento: (41) 3015.9700

UMA BREVE HISTÓRIA DO MUNDO

Geofrey Blainey

Um balanço da fantástica saga da humanidade, magistralmente compilada desde seus primórdios até os frenéticos dias em que vivemos.

ABAIXO A DEPRESSÃO

Susan Tanner e Jillian Ball

Tristeza e depressão são incrivelmente comuns em nossa sociedade. Este livro ensina a modificar o estado de espírito através da mudança de seu estilo de pensamento.

TODA A SORTE DO MUNDO

Theresa Cheung

A autora vai compartilhar com você segredos capazes de mudar a sua vida. Vai ensiná-lo a preparar-se para atrair a própria sorte com mudanças de comportamento.